インド残酷物語
世界一たくましい民

池亀彩
Ikegame Aya

a pilot of wisdom

目次

「腐敗・汚職行為の必要性」／ウーバーとインドの情報革命／
都市労働者とOBC／教育という投資／スレーシュの「チェンジ」

【解説：IT産業とカースト】

おわりに ――

インド地図（部分）

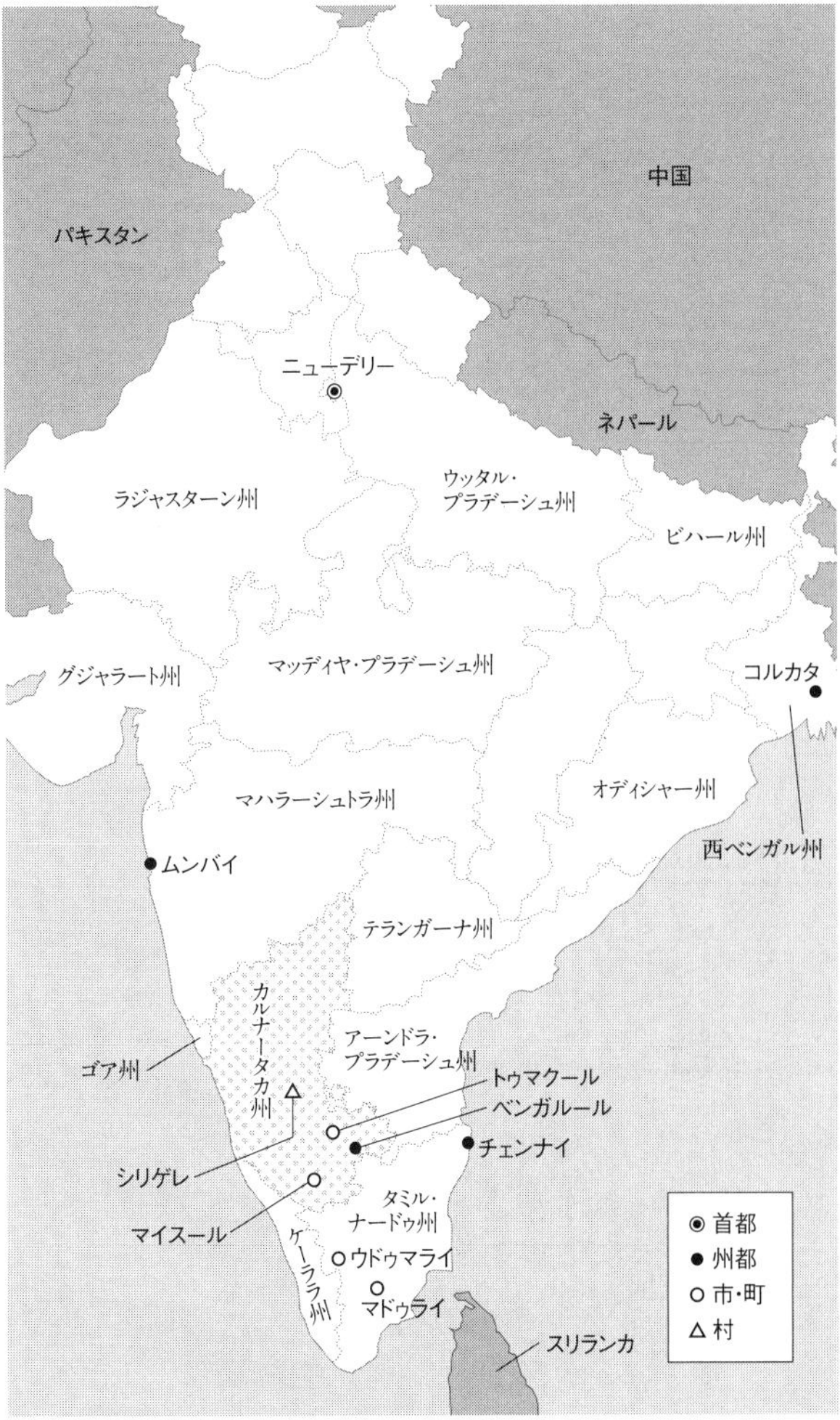
中国
パキスタン
ニューデリー
ネパール
ラジャスターン州
ウッタル・
プラデーシュ州
ビハール州
グジャラート州
マッディヤ・プラデーシュ州
コルカタ
マハラーシュトラ州
オディシャー州
西ベンガル州
ムンバイ
テランガーナ州
カルナータカ州
アーンドラ・
プラデーシュ州
ゴア州
トゥマクール
ベンガルール
チェンナイ
シリゲレ
マイスール
タミル・
ナードゥ州
ケーララ州
ウドゥマライ
マドゥライ
スリランカ
首都
州都
市・町
村

はじめに

インドは残酷な国である。

人はいまだに出自で差別され、一部の豊かなエリートは貧しい人々が道端で死んでいく様が目に入らない。一泊数百ドルする高級ホテルの裏側で建設労働者たちがテント暮らしをし、その子供たちが汚染された泥水の中で裸で遊んでいるのは、インドの都会ではむしろありふれた風景である。

一九九二年、私が寺院建築調査で初めてインドを訪れた時、その印象は強烈であった。夜行列車に乗るためには、プラットフォームを埋めつくすように横たわっている何百人という貧しい人たちをまたがないといけなかった。貧困はどこを向いても目に飛び込んできた。その後、人類学を学び直し、一九九九年から約三年間、かつてのマイスール（旧マイソール）藩王国の首都であった南インド・カルナータカ州のマイスール市に滞在し、王族カーストの調査・研究を行った。その頃はインド経済がゆっくりと成長し、人々の生活水準も徐々に上向きになっていることが感じられた。

この本では二〇〇九年から二〇一七年までカルナータカ州の州都であるベンガルール（旧バンガロール）市に滞在していた時期に出会った人々の話が中心となるが、この時期は、さらにインド社会が目に見える大きな変化を遂げた時期と重なる。例えば裕福なエリートと貧困層という社会の両極が背中合わせのように共存していた状況は、エリートたちが郊外の高層アパート（日本でいうところのタワーマンション）に移り住み始めてから、徐々に変わりつつある。最近の高層アパートは、同じ敷地内にオフィスビルの他、高級ショッピングモール、私立学校、さらに病院まで揃《そな》えている。

私がアパートを借りて住んでいたベンガルール市の北西部にあるマレーシュワラム地区の近くでも、かつて巨大な電化製品工場のあった敷地が、こうした新しい住宅地へと変貌した。そこにできた私立学校にはこのエリアを再開発した不動産業者の名前がつけられた。なんと、あからさまなと思っていたが、この学校は一年も経《た》たないうちにベンガルール市の有名エリート校の一つになってしまった。まさにゲーテッド・コミュニティーの誕生である。この閉じられたエリアで高額のマンションを購入し、敷地内の外資系企業のオフィスで働き、子供をやはり敷地内のエリート校へ通わせる。ここから一歩も出ずして生活が成り立ってしまうのである。もちろん、それを可能にする収入があることが大前提ではあるが。

インドの格差社会は、徐々に隔絶社会へと変貌しつつあるように思える。かつてのエリートは、貧困を目にした際にそれを優雅に無視する独特の感覚を研ぎ澄ませていた。少ない数ではあるが、国家の近代化が進めば徐々に格差は縮小されるであろうと信じ、初代首相ジャワハルラール・ネルーが描いた壮大な国家社会主義の夢に身を投じたエリートもいた。しかし、一九九〇年代以降の経済自由化によって生まれた新しいエリートには、貧困や雑然とした庶民の生活に遭遇する機会すらない。

外資系の保険会社に勤務しているという男性を友人に紹介されたことがある。私が借りていたマレーシュワラムのアパートの大家が突然家賃の値上げを宣言したことに腹を立て、別の部屋を探し始めていたところで（ちなみにこのような侃々諤々《かんかんがくがく》を私は数年ごとにやっていた）、友人がこの男性ならいいところを探してくれるだろうと気を利かせてくれたのである。

ベンガルール市の中心部でお茶を飲んだ後、この男性が私のアパートまで送ってくれた。しかし住宅地に入った途端、「君はこんなスラムに住んでいるのか」と叫んだのである。ベンガルール市の東南部、特にＩＴエリートが多く住む地区に住んでいる彼に、「ベンガルール市がイギリス軍の駐屯地であった時、軍やかつてのマイスール藩王国の政府で働くバラモン（最上位の司祭カースト）のために特別に作られた二つの地区の一つがマレーシュワラムで、だからここは由緒あるオールド・ベンガルールなのだ」と説明したところで、ほとんど意味はないだろう。彼にとって、自分の外国車を駐車するスペースのない場所はすべて「スラム」であるようだった。確かに私は菜食主義者（ベジタリアン）のバラモンが住み、僧院や寺院の多くある、非常に保守的なマレーシュワラムの中でも庶民的なエリアに住んでいる。より正確にいえば、行政区上はマレーシュワラムですらなく、隣接するヴィヤルカヴァル地区である。それでも私の小さなアパートのあるセカンド・テンプル通りにはその名が示すように少なくとも四つの古い寺院があり、ヒンドゥー至上主義を掲げ、現在インド中央政府の政権を握っているインド人民党（ＢＪＰ）のカルナータカ州本部が置かれている。ここが「スラム」であるはずはないのだ。

インドの新しいエリートたちは、貧困や私たちがインド独特と思うような雑多さに触れた際、露骨な嫌悪感を表すことがある。どこかのパーティーでたまたま隣に立っていた男性とベンガルールの悪名高き交通渋滞について話していたら（知らない人と喋《しゃべ》るにはまあ無難な話題である）、突如庶民の足として親しまれている三輪自動車のオートリクシャー（単にオートと呼ばれることも）について、「あいつらは、全くもってゴキブリだよ。I hate them.」と吐き捨てるように言った。確かに、荒っぽいオートリクシャーは無謀な車線変更をし（いやそもそもインドには明確な「車線」などというものはないのだが）、ひどい時には歩道（これも理論上存在するに過ぎない）に乗り上げる。だが、それはオートリクシャーにかぎらず、インドでは誰でも程度の差はあれ、日常的にやっていることである。

もちろんオートリクシャーの運転手も言われっぱなしではない。オートに乗って、運転手と世間話をしていると、しばしば「インディラナガラ・コラマンガラ・タイプ」の悪口になる。インディラナガラとコラマンガラはベンガルールの東南部に位置し、市南部にあるIT産業の中心地に近いため、ITやBPO（ビジネス・プロセス・アウトソーシング）のオフィスが多くあり、そうした企業に勤めるインドのエリートたちや外国人ビジネスパーソンが多く住む高級住宅街である。こうした地区に住むインド人エリートたちはインド各地からやってきていることもあって、ほとんどカンナダ語（カルナータカ州の公用語）を話さない。オートリクシャーの運転手たちにはこれが大いに不満である。

「お客さんは外国人なのにカンナダ語を喋るじゃないですか。あいつらはインド人で、カルナータカ州で仕事をしているのに、カンナダ語を喋らない。学ぼうという気すらないんだ。まだね、北インドの出身だっていうなら分かりますよ。でもね、カルナータカ州で生まれ育っているのにカンナダ語を喋らないっていうのはどうですかね？　奴《やつ》らはね、カンナダ語を喋ることが恥だと思っているんですよ」

カンナダ・ナショナリズムを掲げ、しばしば暴力事件を起こすグループの主な構成メンバーは、このオートリクシャーの運転手のような都市の労働者階級の若者たちである。往年のカンナダ語映画スターのファンクラブを名乗ることもある。

彼らが起こした暴力事件で最もメディアの関心を集めたのは、二〇一一年に、新しく市の北部に建設されたベンガルール国際空港（現ケンペーガウダ国際空港）へ向かう道路の途中に料金所が設けられることになった時である。新しいエアポート・ロードを管理する民間企業は、建設費や維持費を捻出するために道路使用料金を徴収したがっていた。州政府はそれを認めたが、当時の法律ではベンガルール市内の道路には料金を課すことができないと定められていた。さらに料金所を過ぎた先にいくつかの大型工場があったため、工場で働く労働者たちからも空港に行くわけではないのに毎日道路使用料を払わせられるのかと不満の声が上がっていた。

そして料金所がオープンした当日、鉄の棒を持った数十人のカンナダ・ナショナリストたちが現れると、料金所の建物をめった打ちにして破壊してしまったのである。彼らの行為は明らかに違法であったが（だが市内に料金所を作るのも違法だ）、庶民の利益を守るグループとして名を上げたことも確かである。しかし彼らは、普段はベンガルール市内の小さな工場や商店を回って「みかじめ料」を払わせるなど、むしろ厄介な存在でもある。カンナダ文化を守るなどと高尚なことを言いながら実際はチンピラ集団とさして変わりない。彼らは労働者階級の若者たちの支持を背景に、インド人民党から候補者として選挙に出馬することを狙っているようだが、今のところ成功していない。

二〇一〇年代、大きな盛り上がりを見せたカンナダ・ナショナリズムの怒りは、英語をほぼ母語のように日常的に使うエリート層へと向かっていた。それは、マハラーシュトラ州でしばしば暴力的な事件を起こすマラータ・ナショナリズムの標的が、貧しい北部のビハール州やウッタル・プラデーシュ州から来るヒンディー語話者の出稼ぎ労働者たちであるのとは大きく異なっていた。ベンガルール市の人口の約一五％を占めるといわれるタミル語話者への批判も、それほど聞いたことがない。とはいえ、南インドの米作を支えるカーヴェリ河の水量分配でカルナータカ州が下流のタミル・ナードゥ州と揉《も》めるたびに、ベンガルール市に住むタミル人はヒヤヒヤした思いでいたに違いない。将来タミル人がカンナダ・ナショナリストの標的になる可能性がないわけではない。

ますます大きくなるインド社会の内部格差と隔絶は、政治家によって宗教的対立へと置き換えられつつある。二〇一四年から現在までナレンドラ・モディを首相として中央政府の政権を握るインド人民党や、それを草の根で支える民族奉仕団（ＲＳＳ）などの右翼団体は、インドにおけるイスラムの歴史を抹殺し、インドをヒンドゥー教の国家として再定義することに躍起になっている。

最近になって再燃している雌牛保護運動は、牛肉を食すことはもとより、年老いて農作業に使えなくなった牛を皮革のために利用することさえも難しくしている。二〇一五年には、ヒンドゥー至上主義者たちが牛肉を食べていると疑われた家に押し入り、その家のムスリムの男性を公衆の面前で殴り殺すという事件が起こっている。後になって、彼が所有していたのは牛肉ではなくマトンであったことが分かったが、そんなことは熱狂的な支持者たちにとってはどうでもいいことのようだった。

北インドに比べて、暴力的な政治対立が少ないと思われていたカルナータカ州でも、二〇一五年にはヒンドゥー教の迷信や悪習を批判するラショナリスト（合理主義者）として知られていたM・M・カルブルギ教授が州北部の自宅で射殺され、二〇一七年にはモディ政権批判をしていた著名な女性ジャーナリストのガウリー・ランケーシュがやはりベンガルール市郊外の自宅に戻ろうとしたところを射殺された。二人を暗殺したとされる容疑者たちは最近になってようやく逮捕されたが、ヒンドゥー至上主義者の過激なグループとつながりがあるとみられている。だが真相が明らかにされるかはかなり疑問である。私は殺された二人の仕事をよく知っていたし、私の友人の多くは彼らと個人的にも親しくしていた。大学教授をしている私の友人はガウリーが殺された時、「次は自分かもしれない」と真っ青な顔で言っていた。

ここ数年は、インド有数のエリート大学であるデリー大学やネルー大学でもヒンドゥー至上主義者たちによって、それまでの自由な校風が一変させられ、国際的に名の知られた大学教授たちや、大学の自治組織を運営する学生たちが「極左」や「アンチナショナル」（日本の文脈でいえば「反日」に相当するだろう）などと批判され、右翼団体の若者たちに攻撃されたり、不当に逮捕されたりしている。もう退職間近の大学教授の友人たちが、デモに繰り出したり、座り込みをしたりしているのをFacebookやYouTubeで見るたびに、全体主義がひたひたと静かに、だが確実に、近づいているのを感じざるをえない。

インドの残酷さ、ますます格差が広がるばかりの状況に対して、心底この国が嫌いだと思うことが何度もあった。さらに排他的なヒンドゥー至上主義がますます力を増している状況で、インドへフィールドワークに行く時にはなんとも暗く重たい気持ちになる。なぜ私はこんな国を研究しているのだろう、こんな社会から学ぶことなどあるのだろうかと。

だが、インドに着いた途端、この暗澹《あんたん》たる気持ちは一気に吹き飛んでしまう。真夜中過ぎにベンガルール国際空港に降り立つと、そこにはこの本の登場人物でもあるドライバーのスレーシュが笑顔で待っていてくれる。翌朝、マレーシュワラムのアパートを一歩出れば、近所のおばさんが声をかけてくる。

「あんた！　しばらく見なかったけど元気だった？　また痩せたみたい。ダメじゃないの。もっと食べなさいよ！」

この後彼女は、もっと太らないと子供ができないなどと言い出しかねないので、にっこりしながらその場を逃げ出す。八百屋さんのおじさんは、さっそく私がカンナダ語を忘れていないかテストする。「アールゲッデ（ジャガイモ）を半キロ、イルリ（たまねぎ）も半キロ、コース（キャベツ）は小さいのを一つ」となんとかこなしたと思うと、コッタンバリ・ソップ（コリアンダーの葉）をカーダンバリ・ソップ（小説の葉）と言って吹き出されてしまう。「いいよ、いいよ。それだけ思い出せれば十分さ。（他の客に向かって）聞きましたか。この人、こんなにカンナダ語ができるのですよ。新聞だって読めるのですからね（本当は辞書なしでは読めない）。大したもんですよ」と、自分のことのように自慢する。

私はこんなに温かく優しい人々を他に知らない。

本書は、残酷で厳しい社会の中で、それでも明るく、優しく、たくましく生きるインドの人々の物語である。彼らのレジリエンス＝たくましさが一体どこから来るのかを私の身近な人々の人生を中心に描くことから考えてみたい。

これは一つのテーマに沿って、既存の研究をしらみつぶしに検討し、そこから新しい理論を生み出そうとする研究書ではない。そういう向きを求める方には、私が眉間にしわを寄せながら書いた他の著作や論文をぜひ読んでいただきたい。ただ、物語の背景をよく理解してもらえるように、各章の終わりに【解説】のコラムをつけた。これが物語を読み進める手助けになり、さらにもっとインドを知りたいと思うきっかけになってくれれば嬉《うれ》しい。

後半で出てくるように、この本では私と個人的に金の貸し借りや雇用関係がある人たちが主な描写の対象であり、物語の主人公である。これは個人の影響（それは偶発的なものに過ぎないから）を極力小さく抑えて「科学的」であろうとする、かつての人類学の方法からすれば、失格の烙印《らくいん》を押されてしまうだろう。だが私は金の貸し借り（後述するようにどちらかといえば貸しっぱなし）をすることによって、ようやくインド人とより深いつながりができたように思う。金を貸すこと（貸せること）は、むしろ他人から信用されているのだと誇りに思うべきだということを初めて学んだ。そして、金を貸す者としての責任というものがあることも知ることになる。金を貸すことは、残酷でありながら温かさもある矛盾に満ちた依存関係の網の中に入ることである。そしてこの依存関係の網こそがインドを深く知る鍵である。

この本では、あくまで「私的」であることにこだわりたいと思う。記述の多くは、私が話し、聞き、感じたことに基づいている。また、話し手も自身の私的でしかありえない人生を語ってくれている。私的で個別的ないくつかの人生の物語から、現在大きく変化を遂げているインドの今を垣間《かいま》見《み》ることができないだろうか。それが本書のささやかなねらいである。

ここでは現代インドを包括的に捉える統計データや選挙データなどはほとんど出てこない。むしろそうした大きなデータからはこぼれ落ちてしまう人々の声を拾いたいと思う。

特に意図したことではないのだが、この本の登場人物の多くは、都市に住む上位カーストのエリートたちではなく都市の労働者であり、農村部の土地持ちの権力者ではなく土地なし農業労働者である。そのためもあってか、経済成長を続けるダイナミックなＩＴ大国、拡大する中間層、中国と対抗する政治大国という、インドの新しいポジティブなイメージを前面に押し出す、最近のインド論とは少し趣が異なるかもしれない。

だが、インドの闇を描こうというつもりもない。

インド社会の底辺でギリギリの生活を生きる人々には、不思議と惨めそうにしている人は少ない。彼らにカメラを向けると、花売りのおばさんも牛飼いの青年も背筋を伸ばして堂々とこちらを見返してくる。現地の言葉を学び、友人とアパートを借りてインドに住み始めた二〇〇〇年頃、部屋の掃除や家事を手伝いに来てくれていた中年の女性（カンナダ語では「ケラサダワル」という。直訳すれば「仕事の人」）がいた。彼女は教育を受けたことがなく文字を知らない人だったけれど、賢くたくましい女性で、世間知らずの私にいろいろなことを教えてくれた。自分と同じように、裕福な中間層の家事手伝いとして低賃金で働く多くの女性たちの相談役にもなっていた。彼女が私に一度言ったことがある。
「私たち貧乏人には、金も地位も何にもないけど、マリヤーデ（名誉・誇り・礼節）を持つことはできるのよ」

これはそんな誇り高き人々の物語である。

第一章　純愛とｉピル

カウサリヤの恋

その日、シャンカールは妻のカウサリヤに初めておねだりした。

「ねえベイビー、明日は大学の創立記念日なんだよ。新しいシャツを買ってくれない？」

カウサリヤは、シャンカールと約束していた。シャンカールが良い仕事を得るためにはまず彼が大学を卒業することが肝心。それまでの間はカウサリヤが働いて二人の生活を支えること。大学を中退して数ヶ月前からタイル工場で働き始めたカウサリヤは迷わず言った。

「もちろんよ！　じゃあ、ウドゥマライの町に行きましょう」

シャンカールはまず理髪店に行き、そして二人でウドゥマライに向かった。午後一時には町に着いていた。洋服店でシャツを選んで店を出ると、ショーウィンドウに飾ってあるシャツの方がシャンカールに似合う気がしてきた。カウサリヤは「やっぱりこっちのシャツの方がいいと思う。交換しましょうよ」と言って店に戻り、買ったばかりのシャツと交換した。店を出た後、二人は近くの屋台で冷たいジュースを飲んだ。そこでカウサリヤはシャンカールに告白した。

「実はあと六〇ルピー（約九〇円）しか残ってないの。今月はこれでなんとか乗り切らないといけないわ」

シャンカールはにっこり笑って言った。

「なんとかなるよ、大丈夫、ベイビー。今夜は僕が小麦粉を手に入れてきて、君のためにチャパティ（薄焼きパン）を作るよ」

だが、カウサリヤがシャンカールのチャパティを食べることはなかった。


二人が出会ったのは南インド、タミル・ナードゥ州のポッラチという町にある技術系カレッジ（日本の大学の学部に相当）。カウサリヤは高校を終えて入学したばかり。シャンカールは三年生だった。シャンカールは気概があって、どんなことにも熱心に向かっていく青年だった。

ある日、シャンカールがカウサリヤに「誰か好きな人はいるの」と聞いてきたので、いないと答えた。すると「僕は君のことをすごく好きなんだ」と言う。カウサリヤはちょっと驚いて「友達でいることはできるけど。でも恋愛関係になることは期待しないで」と答えた。シャンカールは静かに「ソーリー」と言って立ち去った。

カウサリヤはシャンカールの申し出を断ったけれど、彼が少しも怒った素振りを見せなかったことには好感を持った。カウサリヤはシャンカールが母親をすでに亡くしていること、家族は父親と弟二人だということを知った。シャンカールには独特のクセがあった。女友達と話をする時には、十分すぎるほど離れて喋るのだ。それは女性の尊厳を尊重してくれる行為のようにカウサリヤには思えた。

数日後、シャンカールがやってきて、先日彼女の気持ちを害してしまったことを謝った。「でも僕は君のことをやはりとても好きだよ」と言う。カウサリヤは、今度は断る理由はないなと思った。恋愛以上に、カウサリヤにはシャンカールに対する尊敬の気持ちが芽生えていた。

「シャンカールは、尊厳とリスペクトを持って振る舞うことが愛情なんだって教えてくれたの」

しばらく友人関係を続けた後、カウサリヤはシャンカールと付き合い始めた。付き合っている間、彼らは境界を越えてしまわないよう十分注意していた。二人だけで直接会話することは最小限にとどめ、電話や携帯のメッセージを通じて会話することの方が多かった。

——カウサリヤは語る。

ある時、授業が終わるのが遅くなってしまって、たぶん午後七時半頃だったと思う。シャンカールは私のことを待っていてくれて、二人でバスでポッラチから私の住むパラニの町（どちらもタミル・ナードゥ州中西部の中規模の町）まで一緒に帰った。その時に誰かが私たちに気づいて、私の母に私が若い男とバスの中で喋っていたと告げ口したの。数日後、母は私にシャンカールのことを聞いてきた。彼女の最初の質問はなんだったと思う？「シャンカールのカーストは何？」よ。私は、シャンカールはパッラル・カーストだと言った。そしたら、「どうしてそんな子と話をすることができるの？　もし私たちのカーストの人たちがこのことを知ったら、彼らは私たち家族のことを悪く言うに違いない」と言ったわ。

パッラル・カーストとは、旧不可触民とされるカーストだ。現在はダリトと自称することが多い（カースト制度については本章末の【解説】で詳述）。

――さらにカウサリヤは語る。

私がシャンカールと話をしていたというだけで怒る様子を見て、母がカーストへの強いこだわりを持っていたことを初めて知ったの。もし私が彼と結婚したいと思っていると知られたら、どんなことになるか。とても心配だった。それで、シャンカールにWhatsApp（インドで人気のメッセージ・アプリ）でこのことを伝えたの。そしたら彼もとても心配し始めて。でも彼は決して怒ったりしなかった。それだけ私のことを愛してくれていたのね。

「僕は君のことを失うことになるの？　母を失った時みたいに？」

彼はこう返信してきた。

私の家族と近い親戚たちは私たちの関係のことを知ると、差別的な言葉を使って彼のことを侮辱し、私のことも攻撃し始めた。そして彼らは私を（同じカーストの）誰かと結婚させてしまおうと画策し始めたの。

　私はもう戻ることはできなかった。もし私がシャンカールと結婚しなかったら、家族は私を無理やり他の誰かと結婚させてしまう。今すぐにね。シャンカールが大学を終えるまであと九ヶ月。大学を卒業しなければ彼が職を得るチャンスはない。もし彼と卒業する前に結婚したら、私たちはどうやって生活していけばいいのか。私たちは不安だった。シャンカールと私はすべての可能性を話し合い、そして私はシャンカールを勇気づけた。

「あなたは勉強して。私が働く。あなたが大学を終えたら、あなたが働き出せばいい。大丈夫。きっとうまくいく」

　シャンカールは「どうして僕が君を働きに出せる？」と言ったけど、私は言ったの、これしか方法はないって。

　二〇一五年七月一一日、私は家を出た。シャンカールの友人たちが私たちを結婚させてくれると約束してくれた。私たちはシャンカールの親戚の家に一晩泊めてもらい、翌朝、お寺で結婚した。シャンカールの友人二〇人が参列してくれた。

同じ頃、私の父はパラニの警察にシャンカールが私を誘拐したと届け出た。それを知った私たちは、ウドゥマライの（すべての警察官が女性で構成されている）女性警察署に行って、私の家族が私たちに危害を加えるかもしれないと届け出た。警察は私の家族に電話で連絡した。そしてシャンカールの側の親族が二〇人ほど、私の方は一五人ほど、私の両親、祖母、そして父方の二人の叔母も来たわ。警察は両方の親族と話し合った。

（パラニの）警部さんは私に聞いた。

「こんなやり方で結婚して家族から離れるなんて正しいことか？」

そしてこうも言った。

「愛情は六〇日、欲望は三〇日しかもたない。君はそれなりの家の出身だ。それなのにこんな貧しい男と結婚して！　どうやって生活していくつもりだ？」

「私たちはお互いに真剣です。どんな困難が起ころうとも、二人で幸せに暮らしていきます」と私が答えると、それを聞いていた父は「私の娘はもう死にました。彼女と我々とはもう何の関係もありません」と宣言したわ。それを聞いた叔母の一人は、「あんたは私たちのカーストの男と結婚したくないから、こんな低カーストの子と結婚したのでしょ。じゃあ、今すぐ私たちがあなたにあげた装飾品を全部外しなさい」と言った。私は金のネックレス、腕輪、銀のアンクレットを外し、サリーもサンダルも、全部脱いで、シャンカールが買ってくれたものに着替えた。警察署の一室で着替えながら、私はカースト制度のおぞましさと、そのために私が経験しなければいけない屈辱に身が震えたわ。

警察は私の父に私たち二人をこれ以上困らせないと一筆書かせた。そして私はシャンカールと一緒に家に帰った。これからはシャンカールの父が私の父で、シャンカールの兄弟が私の兄弟だと、彼らの家に入りながら私はそう思った。そして今でもそれは変わらない。

警察署で念書を書かされたにもかかわらず、カウサリヤの両親と親戚らは彼女とシャンカールを攻撃することを止《や》めなかった。一度は、年老いたカウサリヤの祖父を使って彼女を騙《だま》し、無理やり親戚の家に閉じ込めた。そして怪しげなまじないをするスワミ（宗教家）や悪魔払いをする女性のところなどへ連れ回し、なんとか彼女の気持ちを変えさせよ

カウサリヤとシャンカールが駆け落ちし、寺院で結婚した時の写真。
（カティール氏提供）

うとした。彼女が親戚の家に閉じ込められている時、彼女の父親の携帯電話に警察から電話がかかってきた。たまたま携帯電話がスピーカー状態になっていて、カウサリヤはその会話を聞くことができた。警察官はこう言った。

「男があなたの娘さんと駆け落ちして結婚した件ですけど、向こうの父親が警察に告訴してきました。事態は深刻になりつつあります。警部に渡すために二万ルピー（為替レートでは約三万円だが、感覚的な価値は約三〇万円）持ってきてください。それから娘さんを説得して、もう男のところには戻りたくない、両親のところに戻りたいと言わせてくださいね。そうすれば、あなたの希望通りになります」

その後、叔父の家に弁護士がやってきてカウサリヤにどうしたいのか尋ねた。彼女はシャンカールのところに戻りたいと訴えた。また親戚たちが集まり、両親の家に戻るよう説得した。しかし彼女が気持ちを変えないため、彼女の両親は「毒を持ってくるから、それを飲んで死になさい」と言った。その間にも父親は警察署や弁護士らからの電話を頻繁に受けていた。

父親はしばらくどこかへ出ていった後、戻ってきて言った。

「お前はあの低カーストの犬のところへ戻って死んでしまえ。私たちはお前とは縁を切る」

弁護士がやってきて、彼女を警察署に連れていった。道すがら「両親に誘拐されたことは絶対に言わないように」と忠告してきた。彼女は「自分はシャンカールと一緒にいたいだけだから、彼の言うことに従う」と言った。警察署にはシャンカールが迎えに来ていた。

カウサリヤが実の両親に誘拐され、五日間にわたって監禁された後、シャンカールの元に戻ってからも、両親からの嫌がらせは続いた。最後には彼女の両親と親戚は、一〇〇万ルピー（約一五〇万円、感覚的な価値としては一五〇〇万円近い）を支払うから彼女を戻すようにとシャンカールの父親に掛け合いにきた。貧しいシャンカールの父親にとって、一〇〇万ルピーは見たこともない大金だったが、彼は「（あなたは）どうしたら自分の娘に値段をつけることができるのですか？」と拒絶した。カウサリヤはひどく傷ついて言った。

「一億ルピーくれると言ったって、シャンカールと別れる気はないわ」

彼女の父親は「我々の親戚は皆お前のことをとても怒っている。彼らはお前とお前の夫を殺すだろう。私は警告しているんだ」と言い、親戚らはダリトを侮辱する言葉を吐きながら帰っていったのだった。

そして、冒頭の二〇一六年三月一三日になる。カウサリヤとシャンカールが町に出かけ、新しいシャツを買った日だ。この日、ウドゥマライの町の中心で起こったことは、町の監視カメラに一部始終映っており、さらに周りの人々が携帯電話を使ってすべてを撮影し、それらはYouTubeにアップロードされた。

買い物を終えて歩いていた二人をバイクに乗った五人の男たちが襲う。男たちは二人を地面に叩《たた》きつけると、ナイフで切りつけ始める。シャンカールを切りながら、「パッラルの犬ころめ」と侮辱し続けた。血だらけになった二人は病院に担ぎ込まれたが、シャンカールは死亡。カウサリヤも頭に重傷を負った。YouTubeにはまだ意識のあったシャンカールが何やら叫んでいる様子もアップロードされている。そして頭に包帯を巻き、呆然《ぼうぜん》とベッドの上に座り込むカウサリヤの写真がインターネットのニュースサイトに掲載された。後に、二人を襲った男たちは、カウサリヤの両親が雇ったチンピラだということが判明する。

カウサリヤは言う。

「両親は私をいつも愛してくれた。家族の中で私はペットみたいだった。でも今はあれが本当の愛情だったのかと思う。あれは私への愛情ではなくて、カーストへの愛情だったのじゃないかって。自分の娘とその夫を殺し屋を雇って殺そうとする家族って、一体、何ですか？」

事件後数ヶ月経って、カウサリヤは彼女を支援するNGOの聞き取りに応じ、二時間以上をかけて事件のことを詳細に語った。

ここまで紹介したカウサリヤの語りは、ウェブメディアに掲載されたインタビューを再構成したものである（インド版『ハフィントンポスト』二〇一六年一二月五日）。

「名誉殺人」という名付け

カウサリヤとシャンカールの事件は、メディアで大きく取り上げられた。二人が襲われている様子が監視カメラに収められていたことや、病院に担ぎ込まれた後も携帯電話のカメラで撮影され続けていたことなどから、これは「劇場型殺人」とでもいえるものであったし、なにより「名誉殺人」として注目を集めたのだ。

名誉殺人（オナー・キリング）とは、家族に恥あるいは不名誉をもたらしたとされる女性（数は少ないが男性の場合もある）を、彼女の家族や親族が家族の名誉や威信を守るために殺害することである。「恥」とされる行為はさまざまで、婚外の性交渉から親の決めた結婚を拒絶すること、さらにはレイプの被害者となることなど、本人の意思とは無関係のことまで含まれる。またＬＧＢＴＱＩの男性／女性が名誉殺人で家族に殺されることも少なくない。

名誉殺人は、女性への社会的規範がより厳しいとされるイスラム教徒の間で多く起こると思われがちだが、実際にはさまざまな宗教・宗派で行われている。二〇〇〇年代以降、特にヨーロッパや北米に住む中東・南アジア系の移民コミュニティーの中で、若い女性が名誉殺人の被害者となる事件があり、「社会問題」として先進国の間でも認識されるようになっている。

カウサリヤとシャンカールの事件は、殺害されたシャンカールが旧不可触民のダリトであったこと、二人が異なるカーストに属していたことから、すぐに「名誉殺人」なのではないかと疑われた。

インドではここ数年、ダリトの若者たちの間において、自分たちのコミュニティーへの不当な暴力を携帯電話などで録音・録画し、それをインターネットにあげることによって加害者を糾弾する、いわば市民ジャーナリズムが草の根的に広がっている。この事件も、ウェブベースのニュースサイトに取り上げられたのち、一般の雑誌や新聞でも取り上げられるようになった。

興味を惹《ひ》かれたのはこの事件がタミル・ナードゥ州で起きており、報道ではこの州での名誉殺人の多さが強調されていたことだ。タミル・ナードゥ州はインドの中でも、比較的教育レベルが高く、貧富の差も少ないといわれている。そのタミル・ナードゥ州でなぜ名誉殺人が多く行われるのか。私は普段、タミル・ナードゥ州に隣接するカルナータカ州を調査地としているのだが、南インドの中でもカースト意識がより強く残っているとされるカルナータカ州では名誉殺人の事例をほとんど聞いたことがない。その理由はどこにあるのか？　カルナータカ州でダリトの社会運動に詳しい友人に尋ねてみたが、彼らにもその理由は判然としないようであった。カースト差別ははっきりとあるのになぜ名誉殺人が少ないのか。これはもう少し調べてみても良さそうだと思い始めた。

この事件を詳しく調べてみようと思ったのには、もう一つ理由がある。事件の後、さまざまなメディアに掲載された、二人が寺院で結婚した時の写真に写っていたカウサリヤの表情である。彼女はいかにも南インドの田舎の小さな町に住む女性という風情だった。サリーを着て、長い髪を額の真ん中で分け、後ろに一つにまとめている様子は、実際の年齢よりもずっと上に見える。額の分け目には結婚している女性の象徴の一つである、クンクマと呼ばれる赤い粉がつけられている。その田舎町のごく普通の女性が、まっすぐにじっとカメラを見つめている。そこには、彼女の決意と覚悟が見てとれるようだった。私は彼女に会ってみたいと思った。

タミル・ナードゥ州のダリト問題に詳しい友人のつてで、事件のあった場所に近いマドゥライ市の人権活動家数人に連絡をつけることができた私は、二〇一六年八月、タクシーをチャーターしてカルナータカ州ベンガルール市の自宅からタミル・ナードゥ州へと向かった。

高速道路を飛ばし、ベンガルール市南部の有名なＩＴ企業の本社が立ち並ぶエレクトロニクス・タウンを越えると、カルナータカ州とタミル・ナードゥ州の州境はもう鼻の先である。タクシー運転手のスレーシュはカルナータカ州内の商業運転の免許しか持っていないため、州境のチェックポストで、タミル・ナードゥ州内で一週間運転できる許可証を取らないといけない。高速道路脇に止めた車から出て、スレーシュが持っているのと同じような分厚いファイルを抱えてチェックポストに走るドライバーが何人もいる。許可証は一〇〇〇ルピー（約一五〇〇円、生活する実感としては一万五〇〇〇円くらい）もするので、これだけでも州政府にとってはかなりの収入である。「全インドで有効な免許を持てば、いちいち州境で許可証を取る必要はないけど、結局州ごとの税金を別に払わなくてはいけないし、同じことなのですよ。それに僕の仕事はほとんどカルナータカ州内ですからね」とスレーシュは説明する。ミドルクラスのインド人のほとんどが所得税を払っていないのに（インドで所得税を支払っているのは人口の約一％程度といわれる。『Financial Express』二〇二〇年九月二二日）、スレーシュのような決して豊かではない労働者たちにはきっちりと税金が課せられていることに、少々腹立たしい気持ちになった。

州境を越えると森林エリアに入る。高速道路には、野生の象に注意という標識がいたるところにある。野生動物保護地域を通過しているのだ。この野生動物保護地域は熱帯雨林のジャングルで標高九〇〇メートルのデカン高原から平野部に向かって急速に下降するルートでもある。それに連れて、気温も徐々に上昇し、私の緊張も高まっていった。

インドで二〇年以上研究をしているのだが、調査をほとんどカルナータカ州で行ってきたのは、私が習得したカンナダ語がカルナータカ州以外ではほとんど使われていないからだ。インドは二〇〇以上の言語と一六〇〇以上の方言が現在も使われているといわれる多言語国家である。その中で約四三〇〇万人の人々がカンナダ語を母語としており、カンナダ語を公用語とするカルナータカ州の人口は二〇二〇年の段階で六七五〇万人と、フランスやイギリスの人口とさほど変わらない。不自由なくカンナダ語が使えることはカルナータカ州の調査では重要だが、他州での調査にはつい躊躇《ちゅうちょ》してしまう面もあるのだ。今回私は勇んで州境を越えることにしたのだが、かなり緊張してのタミル・ナードゥ州入りだった。

カルナータカ州とタミル・ナードゥ州は両州を流れるカーヴェリ河の水使用をめぐって頻繁に対立する。この年（二〇一六年）は深刻な水不足で、両州の緊張は高まっていたため、タミル語圏のタミル・ナードゥ州でカンナダ語を使うことは御法度だ。運転手のスレーシュは、生まれも育ちもカルナータカ州で、母語はカンナダ語だがタミル語も十分理解することができると胸をはり、私も一八世紀以降イギリスの直接統治下にあったタミル・ナードゥ州（当時はマドラス管区と呼ばれた）では、きっと英語が通じるに違いないと期待していた。そもそもカンナダ語もタミル語もドラヴィダ系言語に属するので、それなりに理解できるのではないかとも思っていた。だが、その根拠のない自信は、国道沿いの食堂に入ってすぐに打ち砕かれた。タミル語は全く理解できないし、英語を理解する人もほとんどいない。スレーシュのタミル語もかなり怪しい。先行きへの不安はますます高まっていった。

目的地のマドゥライ市は、巨大な女神寺院のミナークシ寺院で名高いが、乾燥して砂《すな》埃《ぼこり》の舞う小さな田舎町だった。私が事前に連絡を取っていたのは、この地でダリトの人権を守るための活動をしている「エヴィデンス（EVIDENCE）」というNGOである。何度も道に迷いながらようやくエヴィデンスのオフィスにたどり着くと、オフィスの前で代表者のカティールが待っていてくれた。四〇代前半だろうか、背が高く堂々として自信に満ちた様子の男性だ。

私が普段から付き合いのあるカルナータカ州のNGOの代表者のほとんどは英語に堪能

だが、カティールはほとんど英語を喋らないという。そこでオフィスの女性が通訳をしてくれることになった。

さっそくタミル・ナードゥ州の名誉殺人について質問する。

彼はこれまでも何度も答えてきたのだろう、淀《よど》みなく話し始めた。

「過去三年の間に九二件もの名誉殺人がありました。被害者の八割は女性で、その九五％がカースト・ヒンドゥー（ダリト以外のヒンドゥー教徒）です。男性は二割でそのほぼ全員がダリトでした。つまりほとんどのケースはダリト男性がカースト女性と結婚するパターンです。実はダリト女性がカースト男性と結婚する場合もありますが、殺人が起こることは稀《まれ》です。ただダリト女性がひどいハラスメントを受けることは多いです」

「九二件というのは氷山の一角に過ぎません。ほとんどの場合、自殺ということで片付けられてしまうからです。家族は遺体をすぐに火葬してしまうので、警察は検死ができないのです。同じ期間に警察に届け出がない不審な死は一七四件にものぼります」

思っていた以上の数におののきながら、気になっていたことを聞いてみる。

「なぜタミル・ナードゥ州で特に名誉殺人が多いのでしょうか？　何か理由はありますす

か？」

　カティールはにっこり笑って答える。

「二〇〇六年以前にはインドで名誉殺人というコンセプトはありませんでした。二〇〇六年に我々が事実を明らかにする中でそう呼ぶようにしたのです」

　それまではダリト差別から生まれる暴力としてのみ理解されていた殺人が、「名誉殺人」と名付けられることによって、欧米メディアで盛んに取り上げられてきた名誉殺人と同等に扱われることになった。こうしてこの種の事件がより注目を集め、インドの国内メディアや政府・警察も動き出さざるをえない状況をカティールたちが作ったのである。私は、その大きなうねりの中心にいる人物と今まさに対面しているのだった。私の疑問は解けたが、それは全く予想していない形で、だった。タミル・ナードゥ州で名誉殺人が多く行われ、カルナータカ州では起きていないということではないのだ。おそらく今も各地で起きているであろうダリトと、ダリトと関係を持った女性たちに対するさまざまな殺人や暴力が、たまたまそう名付けられていないために、我々の目に見えるようなまとまった形で現れていないだけなのだ。

ある殺人を「名誉殺人」と名付ける意味は場所によって大きく異なることを急いで付け加えておきたい。例えばパキスタンでは、イスラム教徒の女性が家族に殺される事件が多いが、それらを「名誉殺人」と称してはいけないと多くの女性支援団体は訴えている。なぜなら事件が家族の「名誉」に関わると認定されると、加害者である家族は裁判所で温情的に扱われ、無罪放免となりうるからである。だからパキスタンでは実質的に名誉殺人であっても、逆にそれを単なる「殺人」と呼ぶことが被害者の正義のために重要なのだ。

昼食の時間になって、カティールはアシスタントに近所へ魚のカレーを買いに行かせた。そのカレーを手食《てしょく》で摂《と》りながら、カティールは自分のことを話しだした。

「私はダリトです。そして高カーストの妻と結婚しました。でもいまだに自分がダリトだと告白する時に躊躇する自分がいます。これが黒人差別などの人種差別との違いでしょうね。彼らは見た目からして違うから、名乗る必要がないでしょう。でも我々は一見したところ他の人と変わらないから、名乗ることを要求される。そこには心理的な恐怖があるのです」

カティールは中学生の時に、担当の教師からクラス全員の前でカーストは何かと聞かれ、答えられずにいると「答えられないなら、お前は不可触民だな」と言われた経験を悔しそうに語った。私は現代の日本で被差別部落出身の人々や外国にルーツのある人々がいまだに経験している日常的な差別を思い浮かべていた。おそらく安っぽい同情が顔に表れていたのだろう。カティールはニヤリと笑うとこう続けた。

「でも今はね、自分がダリトだと告白する時に、壁を叩き壊すような不思議な解放感を感じるのですよ。特に高カーストや支配カースト（カースト自体は中位だが、土地持ちの農民カーストで人口が多いために政治を牛耳っているカースト）の前でそう言うとね、彼らはすぐになんと反応していいのか分からずに、しばらく無言のままなのです。その静寂がねー、たまらないですよ」

そう言うとカティールはさも面白そうに笑い声を上げた。その後は、我々が食べていたフィッシュ・カレーがいかにうまいか（これは本当に美味《おい》しかった）、これに匹敵するカレーを食べるならどこのレストランに行くべきかなど熱心に喋り始めた。

エヴィデンスは現在、北欧諸国からの財政的支援を受けているが、過去三年間に三五％

も収入が減ってしまったそうだ。しかし一方で仕事はどんどん増えているので大変だよと、カティールは言う。この日のインタビューの最後に、翌日にエヴィデンスが主催する公聴会があるからぜひ参加するように、と誘ってくれた。

「アイ・アム・カウサリヤ」

カティールは、公聴会が一体どんなものなのか、あまり情報をくれなかった。ただ「カウサリヤも参加するよ」と聞いて、私は少し驚いてしまった。彼女にマドゥライで会えるとは思ってもいなかった。三ヶ月ほど前に農薬を飲んで自殺を試みたことをニュースで聞いていたので、まさか彼女が公の場に現れるとは想像していなかったのだ。

公聴会の会場は私が泊まった小さなホテルからほど近い、タミル・ナードゥ神学校の中だった。土埃のひどい国道沿いの目立たない小さな入り口を入ると、外からは想像できないほどの広大な敷地の中に、さまざまな教育施設が建てられていた。中にはダリト資料センターという立派な施設もあった。タミル・ナードゥ州では、キリスト教徒の多くが二〇世紀になってから改宗したダリトである（カティールによれば、タミル人のキリスト教徒の六

○％はダリト）という事実を反映しているようだ。

会場は、体育館のような巨大なホールで、天井にはいくつもの扇風機が回っているが、暑く重さを持った空気をかき混ぜているだけだった。おそらく室内の温度は三五度を超えていたのではないかと思う（後で気づいたのだが、実はエアコンが六台もフル稼働していた。タミル・ナードゥ州の暑さの前では、これもほとんど効果がなかった）。

私が着いた時にはすでに会場は満杯で、係の人たちが予備のパイプ椅子を並べていた。外国人であるからか、私は前の方の席に座るように促され、すでに座っていた人たちが私に席を譲るために別の場所へ移動してくれた。インドではよくあることだが、こういう特別扱いにはなかなか慣れない。

会場には三〇〇人ほどが集まっていた。ほとんどが貧しい身なりをしていたが、中には都会のミドルクラス風の人もいた。壇上には今回の公聴会の巨大なポスターが貼られていたが、そこにはデフォルメされた女性の顔と、攻撃から身を守るかのように顔の前に開かれた手のひらが大きく描かれている。その手のひらには血液を思わせる赤い色がべったりと塗られている。

青い布がかけられた長いテーブルが置かれ、出席者の名札が置かれていた。名前の前にタイトルのように「comrade（同志）」と書かれている名札もいくつかある。かつてロシアや東ヨーロッパで覇権を握った共産主義が、はるか彼方の南インドで脈々と受け継がれているのはなんとも不思議だが、それ以上に、共産党系の政党――当日参加していたのはインド共産党（CPI）とインド共産党マルキスト（CPI（M））――のメンバーが、キリスト教系の施設で教会関係者たちと協力しているのもインドらしいかもしれない。

突然、細身のジーンズに身体《からだ》にぴったりとした黒い長袖のクルタ（丈の長いシャツ状の上着）を着て、洒落《しやれ》たサンダルを履いた若い女性が現れた。細長い財布のような小さなバッグだけ持って、友人らしき若い女性と一緒に私の前の席にちょこんと腰掛けた。カウサリヤだった。数ヶ月前の記事の写真では、厄除《やくよ》けのためか頭髪がすっかり剃《そ》られていて痛々しかったが、今はセンスの良いショートカットに整えられていて、都会に住むファッショナブルなミドルクラスの女の子という感じだ。腕には、これも流行《はや》りの大きな腕時計をしている。「垢抜《あかぬ》けた」というのはあまりにありきたりな表現だが、そこにはシャンカール

カウサリヤ（右）とＮＧＯエヴィデンスを率いるカティール（左）。（著者撮影）

と結婚していた時のちょっと鈍臭い田舎の若い女性の姿はなかった。彼女は少しはにかみながら「アイ・アム・カウサリヤ」と自己紹介してくれた。

この公聴会は、被害者自身やその家族がそれぞれの忌まわしい経験を語る場であった。壇上の一〇人はいわば専門家として彼らにアドバイスをしたり、質問をしたりする。専門家たちが座る細長いテーブルと九〇度の角度で置かれた席に被害者たちは立ち、マイクに向かって語り始める。多くの人はこうした場に慣れているようではなかったし、思いが高まって泣き出してしまい、話し続けることができなくなる人も少なくなかった。

タミル語の分からない私のために、カウサリヤに付き添っていたムッタミルという名の女性が通訳を申し出てくれた。ムッタミルはチェンナイ市でスラムの子供たちに情操教育を行う「ニーラム」というNGOを主宰しているという。素晴らしく発音の良い英語を喋る彼女を、私はてっきりエリート教育を受けたミドルクラスの女性かと思ったが、実は彼女自身スラム出身のダリトで、鉄道の駅の中の食堂で清掃員をしながら通信教育で大学を卒業した後、インドの超エリート大学であるインド工科大学（ボンベイ）で社会学を修めた人であった。

公聴会が進むにつれ、私はタミル語ができないことに感謝し始めていた。ムッタミルはとても効率よく被害者の家族たちの話を要約して説明してくれたが、その短い内容を受け入れるだけで私は限界に達しそうであった。もしタミル語ができて、彼らの話をすべて理解することができたら、おそらく私はその場に居続けることができなかっただろう。カテイールは「今日は三〇組が来ているが、おそらく二〇組ほどしか話ができないのではないか」と言ったが、私は内心ほっとしていた。

その日聞いたおぞましく残酷な名誉殺人には、ある種のパターンがあった。

多くの場合、殺されるのはダリトの男性とその男性と何らかの関係を持ったカースト・ヒンドゥー（非ダリト）の女性である。ダリトの女性も、殺されたり、レイプされたり、あるいは暴力的・精神的ハラスメントを受け、カースト・ヒンドゥーの夫から突然離婚を言い渡されるなど、さまざまな被害を受けている。だが、ダリト男性と関係を持ったカースト女性が殺されるのに対して、ダリト女性と関係を持ったカースト男性が暴力の対象となることはほとんどない。もし、ダリトと関係を持つことで、その家族・親族に不浄性が持ち込まれると信じているならば、そこに男女の差はないはずである。カースト・ヒンドゥーの、それも男性だけが不浄観に根ざした暴力から逃れられるという事実は、ヒンドゥー社会の中心的な概念と思われている浄・不浄観が、結局のところ、カースト男性が女性とダリトをコントロールするための便宜的な屁理屈に過ぎないことを示している。

一九世紀末から二〇世紀を通じて、社会学者や人類学者は、「カースト制度」の細かい慣習や規則に注目し、「魅了」されて、詳細な調査を行い、洗練された議論を積み重ねてきた。どのカーストはどのカーストから水を受け取ることができ、それが油で揚げた食べ物の場合はどう変わるのか、どのカーストが共食（同じ場所で食事を摂ること）することができるか、それぞれのカーストは寺院での儀礼でどのような役割を担うのか、農業はどのように分業されて、農作物はどのように分配されるのかなどなど、インドでは社会活動のほぼすべてがカースト制度に支配されているように見える。そしてその制度には、一貫したルールがあるように見えるのだ。

カースト制度の基盤にあるのは、浄・不浄の概念であり、カースト地位が上がれば上がるほど、浄性が高くなる。カースト制度外とされるダリトは最も不浄な存在とされる。不浄は物のやりとりなどで「伝染」し、浄性の高いバラモン（カースト・ヒエラルキーにおける最高位の司祭階級）は最も不浄に弱い。だからバラモンはあらゆる不浄の源泉から自らを遠ざけなければいけない。この不浄観に基づいたさまざまな社会規範は、浄性が高いとされる高カーストにとっては意味のあることかもしれないし、研究者にとっては調べがいがある現象かもしれない。しかし、北インドのダリトを中心とした政党であるバフジャン・

サマージ（大衆社会）党の創始者であったカーンシ・ラームがかつて言ったように、ダリトたちから見れば単に「ナンセンス」なのである。不浄への恐れは、自分の娘や相手の男性を殺すというおぞましい行為を正当化する。不浄の伝染は起こってしまってからでは遅い。だから起こりそうな芽は早めに摘んでおくということらしい。公聴会で明らかにされたさまざまな名誉殺人の事例の一つがそれである。年老いたダリトの夫婦が公聴会で話したのは、彼らの息子に起こったことだ。

息子は都会の大学院で修士号を取ろうとしていた。同じクラスのカースト・ヒンドゥーの女の子が彼に恋をしてラブレターを渡したらしい。彼には全くその気がなく、二人は言葉を交わすこともなかった。しかし女の子の男兄弟がその話を聞きつけると、彼の友人の名前を騙《かた》って自分たちの村に呼び出した。彼は、友人に誘われて遊びに行くつもりで出かけていったようだ。携帯電話にはそのやりとりが残されていた。やがて両親が耳にしたのは、彼らの息子が井戸の中で死んでいるのが見つかったというニュースだった。呼び出した女の子の兄弟らが彼をリンチして死に至らしめ、井戸の中に死体を投げ捨てたらしい。女の子の両親は警察に、どうやら彼は夜中にニワトリを盗もうとして誤って井戸に落ちたようだと証言した。警察もそれ以上の調査をしなかった。

話し終えた父親はその場で泣き崩れてしまった。通訳してくれていたムッタミルは、

「大学院で勉強している青年がニワトリを盗もうとするなんて話、誰が信じると思う?」

と言った。

被害にあった家族たちの話が続いた後、昼食が振る舞われた。炎天下のグラウンドに出ると、すでに長蛇の列ができていた。配食のテントにしばらく並んで皿をもらうと、皿には炊いた白米とチキンカレーがどっさりと盛られた。比較的菜食主義者の多い南インドでは、こうした公共の場での食事に卵や肉を使った料理が振る舞われることはほとんどない。バラモンの中でも保守的な人だと、「ノンベジ(肉・魚・卵)」が供される場所では、そもそも食事そのものができない。肉を食べることは不浄であり、不浄な行為が行われている場所にいることだけで、不浄性がうつると信じられているためだ。低カーストが調理したものを食べることでも不浄性がうつると考えられるため、バラモンの料理人が好まれてきたほどなのだ。

こういう文化的な背景があるので、堂々と肉が振る舞われる風景に、なるほどここはキリスト教徒の空間だなと感じた。カルナータカ州でもキリスト教徒の家に招かれると、これでもかというほどの量の肉が供されることがある。まるで肉を食べることがクリスチャンのアイデンティティでもあるかのように。

茹《ゆ》で卵《たまご》の入ったチキンカレーを右手を使って食べながら、ムッタミルと彼女の娘さんとおしゃべりしていると、カウサリヤの姿が見えないことに気づいた。

「あれ、カウサリヤは？」と聞くと、チェンナイから来たＩＡＳオフィサー（インドの上級官僚）の女性と料理の列に並んでいるという。しばらくすると二人はベジタリアン用のカレーを手に戻ってきた。おそらくバラモンであろうＩＡＳオフィサーの女性はともかく、最近政治力を持ち始めているとはいえ、カースト・ヒエラルキーとしては低いカーストに属するカウサリヤがベジタリアンであることに驚いた。「あなたベジタリアンなの？」と何気なく聞くと、そうだという。肉を食べるであろうシャンカールの家族とどうやって暮らしているのだろうと、少し不思議に思った。

昼食の後、カウサリヤが公衆の前で演説をした。彼女が壇上に立つと、地元の新聞社のカメラマンたちがこぞってフラッシュを焚《た》いた。そんなことも慣れっこのようだった。カウサリヤは自分の家族を殺すということが正当化されてしまうカースト制度の恐ろしさを伝えるとともに、州政府に対して、彼女のような名誉殺人で夫を失った女性に職と年金を支給するように訴えた。その姿は力強く、本当に堂々としたものだった。

マドゥライでの衝撃的な公聴会の翌日、私はスレーシュの運転する車でベンガルール市への帰路についた。国立公園のジャングルの登り坂を走る車の中で私は、「こんなひどいことをどうして自分の家族にできるのだろうか」「信じられない」「あのダリトの青年には何の落ち度もないのに」「そんなに家族のメンツを守るのが大事なのか?」などと、公聴会で聞いた悲惨な話のショックからか、真っ赤になって怒りの感情をスレーシュに投げつけていた。スレーシュは適当な相槌《あいづち》を打ちながら、黙って聞いていた。だが、ふと言った。

「マダム、あなたの怒りはよく分かりますよ。でもね、僕はカウサリヤが実家に戻るんじゃないかなって気がしているんです」

夫を殺した家族の元に戻る？　私はその言葉に一瞬面食らい、そして顔から血がスーッと引いていくのを感じた。意外にも私の中に湧いてきたのは、同意の気持ちだったのだ。

「そう、かもね」

私はダリトたちの中でベジタリアン用のカレーを食べていたカウサリヤを思い出していた。

彼女は家族の元に戻るかもしれない。優しかったシャンカールを殺した人たちのところへ。もし彼女がその選択をしても、私は少しも驚かない。そして私はそのことで彼女を責めたりもできない。

親の期待とi-ピル

ところ変わってカルナータカ州。平日の夕方、私はコラマンガラ地区の洒落たカフェで、若い友人のブーミカを待っていた。コラマンガラは、カフェやバーなどが多く、インドのシリコンバレーとも呼ばれるベンガルール市でもミドルクラスの若者たちが最も住みたいと思っているエリアだろう。多くのIT・BPO企業やNGOなどがオフィスを構えているエリアでもあるので、職場に近く（渋滞のひどいベンガルールでは家選びの重要な要素）、また仕事帰りに遊べる場所もあるこの地域が人気なのもよく分かる。

NGOでの仕事を終えてやってきたブーミカに聞いてみたいことがあった。それは若いミドルクラスの女性たちが恋愛や結婚についてどう考えているのかだ。ブーミカは当時、スラム地域に住む貧しい女性たちに避妊や衛生についての知識を広める活動をしていた。カフェに現れた彼女は自分が今どんな仕事をしているのか、かなり興奮気味に説明してくれた。それ自体、とても面白い話だったし、彼女を幼い頃から知っている私としては、ブーミカがソーシャルワーカーとして活躍し、独立した女性として溌溂《はつらつ》と生きていることを嬉しく感じていた。私は彼女の話が一段落したところで聞いてみた。

「じゃあ、ミドルクラスの女の子たちの状況はどう？　彼女たちは自分たちで避妊方法を選んだりできているの？　そもそも自由に恋愛したりできている？」

ブーミカは深くため息をついて言った。

「少しも自由ではないわね。それどころか恐ろしいのは、彼女たちが自分の身体にしていることよ」

ブーミカは「ｉピル」と呼ばれる緊急避妊薬の使用状況について、ミドルクラスが住む地域で調査をしたことがあるという。ｉピルは、黄体ホルモンを主成分とする薬剤で、モーニングアフターピルと呼ばれることからも明らかなように、避妊に何らかの理由で失敗した後に服用する。黄体ホルモンの摂取によって排卵を抑制し、受精卵が子宮内膜に着床することを妨ぐことで妊娠を回避するとされるが、妊娠阻止率は約八五％ともいわれ、完全に妊娠を防止するものではないし、また服用するのが遅くなればなるほど妊娠のリスクは高くなる。日本では医師が対面診療またはオンライン診療をして処方するが、インドでは薬局の窓口で簡単に購入することができる。

ブーミカたちは、コラマンガラとインディラナガラという二つの高級住宅街にある薬局を訪れてインタビューした。その調査によると、この二地域の薬局では週末だけで五〇錠、多いところでは一〇〇錠ものｉピルを女性たちに売っていると答えたという。

インドの避妊事情をまずは説明しておこう。

一九七〇年代、貧しい男性たちに精管結紮《けっさつ》手術が半ば強制的に行われ問題となったが、女性の卵管結紮手術は今でも数多く行われており、すでに子供のいる女性がこの不妊手術を受けることは珍しくない。だが病院設備の整っていないインドではリスクの高い手術でもある。英国放送協会（ＢＢＣ）の報道（二〇一四年一一月一四日）によれば、二〇〇九年から二〇一二年の間に、七〇〇人以上の人が不妊手術の失敗で死亡している。それでも二〇〇五〜二〇〇六年に行われたインド政府の調査（National Family Heath Survey, September 2007）によると、避妊のために用いられた方法の実に三分の二が女性の不妊手術によるものであり、またその八割が三〇歳までにこの手術を受けている（二〇歳までに卵管結紮手術を受けた女性は全体の八％）。

一方で多くのインド女性は子供（特に男子）を産まなければまともな女性として認められないという強いプレッシャーの下に生きており、インド政府が掲げていた「二人っ子」政策の成果か、二人の子供を持つまでに、避妊を行うことは稀である。しかしながら女性の初婚年齢が低く、違法であるにもかかわらず四人に一人が一八歳以下で結婚している。インドでは、一〇代のうちに二人の子供を出産し、二〇代で不妊手術を受けるということは、むしろ普通のことといえる。多くの女性は二人目の出産と同時に卵管結紮手術を受けているのだ。

だからこそ、iピルを服用してまで妊娠を避けるのは、都市部に住む裕福なミドルクラスの未婚女性と考えられる。

「それって、若い女の子たちが買いに来ているってことよね。つまり、結婚前にセックスをしている子たちがかなりの数いるっていうこと？」

夫を家族に殺されたカウサリヤの例でも分かるように、インドでは結婚前はいかなる男女の付き合いもタブーである。にもかかわらず、性交渉まで？　と驚く私にブーミカは複雑な事情を説明してくれた。

「最近のミドルクラスの親たちは、子供たちが恋人を作ることを黙認しているわ。セックスをしていることも分かっているだろうけど、知らないふりをしている。最終的に自分たちが納得できる相手と結婚してくれれば、それまでのことには口出ししないということでしょう。でも若い女性はそれほど性知識があるわけでも、ボーイフレンドに向かってコンドームを使ってくれと堂々と言えるわけでもない。だから週末ごとに薬局に走るのよ。本来は緊急の手段であって、通常の避妊方法ではないのに、女の子たちはセックスをするたびに飲むから、生理がめちゃくちゃになる子ばっかり。中には間に合わなくって中絶する子もいるわ。親に言わなくても、お金を出せば薬で中絶させる医者はいくらでもいるし」

iピルがそんなに売れていることに驚いた私は、保守的な地域として知られる地元マレーシュワラムの薬局で同じ質問をしてみることにした。敬虔《けいけん》なジャイナ教徒の兄弟が経営するマハーヴィーラ薬局は、近隣でも評判が良く、私もしばしばお世話になっている。

「マダム！　今日はどんな具合ですか？　ご主人はお元気？　どんな薬をご所望で？」

背の高い店主が、忙しい中、丁寧に対応してくれる。

「あの、あなたは私の年齢を知っているし、私が使うのではないってことは分かると思うけど、ちょっと関心があって、えーと、調査の関連で、聞きたいことがあって、えーと、率直に聞いちゃうけど、あなたの薬局では何錠くらいiピルを売る？」

iピルと口に出した途端、穏やかな笑みをたたえていた店主の顔はたちまちこわばり、逆に若い助手たちは飛び上がり、ニヤニヤしながら私のところに集まってくる。店主は不機嫌さを隠さずに、それでもはっきりと言った。

「月に一五錠」

ブーミカの調査した地域との違いに驚きながら、「インディラナガラの辺りだと、ずいぶんたくさん出るって聞いたけど」と聞く。

「ふん（と鼻でせせら笑いながら）、あの辺りだと月に三〇〇錠売る店もあるでしょうね」

「ここでそんなに売れないのはなぜなの？」

「（そんなことも分からないのかという表情で）マダム、ここはディーセント（上品）なエリアですよ。バラモン、アイヤンガー（タミル語を話すシュリーヴィシュヌ派のバラモン）の住むエリアです。彼らは評判をとても気にしますからね。MGロード（バーなどが多い、ベンガルール市の中心。インディラナガラはそこに隣接した高級住宅街）の辺りとは全く文化が違うのです」

「なるほどね、よく分かりました」と言って帰ろうとする私に、ニンニクやたまねぎさえも食べない徹底した菜食主義者の店主は、念を押すようにさらに続けて言う。

「マダム、ここの人たちはね、神を恐れる信心深い人々（god-fearing people）なんです」

そんな保守的な住宅街でも、月に何人かは神を恐れず（無防備な）セックスをして薬局に駆け込む女性がいるという事実を喜ぶべきなのか、それとも、彼女たちが密《ひそ》かに抱えているであろう不安に同情すべきなのか、複雑な気持ちのまま家路についた。

「伝統」と家族の呪縛

カウサリヤのような田舎の低カーストの女性と都市部の裕福なミドルクラスの若い女性たちとを現代インドの両極として捉えるのは簡単だ。カースト意識が強く残る伝統的な生活規範をいまだに押し付けられている「バーラタ（Bharat：インド系言語でのインドの意）」の女性たちと、カーストの規範が緩んだ欧米的で個人主義的な自由な生活を謳歌《おうか》する「インディア（India）」の女性たち。この「二つのインド」は、格差が広がり続けている現代インドを説明する際によく使われる表現である。地方語しか話されない農村のバーラタと英語だけで生活できる都市のインディアの対比であり、農業以外にほとんど職のないバーラタと、IT産業で欧米並みの給与を享受するインディアの対比である。だが若い女性たちの実態から見えてくるのは、むしろこの二つは同じ現象の異なる現れに過ぎないということだ。

新しさはどちらのインドにもある。農村部の女性も大学まで進み、他のカーストの異性と出会う機会は格段に増えた。都市部の裕福な女性たちに至っては婚前の性行為まで黙認されている。また婚姻できる範囲も昔よりもずっと広がっている。一昔前だったら、カースト内婚（同一カーストの内部だけで結婚すること）は絶対条件で、南インドでは、多くはイトコ婚、ときにはオジメイ婚（正確には男性から見た時に姉の娘と結婚すること）ですら普通であった。それが今や、バラモンなら何でもいいとか、菜食カーストなら何でもいいというところまで崩れている。二〇世紀に書かれた細かい婚姻規則の民族誌を勉強してきた私からすると「インド人どうした！」という感じだ。

「伝統」は刻々と変わるのである。インド人はこうだからとか、私のカーストの習慣では、などというものの歴史がいかに浅いか、多くの研究は明らかにしてきた。「伝統」は常に創造され続ける。

「伝統」は何も変わらずに、周りの変化をじっと眺めている大人しい存在ではない。むしろ「伝統」はものすごい勢いで変わっていく世界と、自らの価値世界との調整弁としての役割を持つダイナミックなものだ。確固とした「伝統」や「慣習」なるものがあるわけではなく、目の前の変化を受け入れる時には柔軟に再解釈され、何かを拒絶したい時には万世不易の真理として扱われる。この調整がうまくいかない時に、その矛盾は非常に残酷な形で女性とダリトの身体に刻み込まれる。

自分の子供を殺してまで守ろうとするものは何だろう。自分の身体を痛めつけてでも親の選んだ相手と結婚するのはなぜだろう。そこにあるのは現代インドにおける家族の呪縛だ。後の章で述べるように、インドではほぼすべてのことが縁故で決まる。誰々の知り合いだから口を利いてあげる。誰々の息子だからこの仕事をあげる。人と人とのネットワークで決まることがあまりにも多い。そしてこの縁故のネットワークの源泉が家族である。インドでも、特に都市部では一見核家族化が進んでいるように見えるが、日本人からすると驚くほど親族とのつながりが強い。親戚同士で頻繁にお互いの家を訪れるし、田舎から親戚が来ることも多い。多くの家では、田舎に残してきた土地からの収入は不可欠である。婚姻もまたこの親族ネットワークの中で行えば、さまざまな場面で親族からの支援を受けることができる。学費を払ってもらうこと、借金の保証人になってもらうこと、さまざまな祭式を一緒に行うこと、などなど。苦しいことも楽しいこともこのネットワークで共有される。

家族から離れるとは、このとんでもなく濃いネットワークから離脱することを意味する。世捨て人になるのでもない限り（実は世捨て人であるグルたちにとってさえも縁故は重要だ）、人は家族から離れて生きていけない。少なくともまともな生活はできないと思われている。逆に家族があれば、病気になっても障害があっても生きていくことができる。家族はまたインドの相互依存関係のコアであるからだ。だからこそ、インド人にとって家族とは簡単に捨てることのできない呪縛なのだ。

【解説：カーストとダリト差別】

日本ではインドといえばカースト、カーストといえばインドと思われている。またカーストといえば差別であり、差別の源泉であるカーストをなくせないのはインドの後進性のせいとも思われているようだ。こうした「偏見」(?)に対して、「インドではカーストはもうない」とか「カーストに上下はない」などと主張する海外在住のインド人も増えている。研究者からするとどちらも間違いなのだが、この間違いを正すのは簡単ではない。

実は「カースト」という語はインドの言語にはない。これはポルトガル語の家柄・血統を意味する「カスタ」という言葉から派生した語で、元々はアフリカやペルシア湾岸を訪れたポルトガル人が現地のさまざまな社会慣習や血族集団を指して、他のタームとともに用いたもので、特にインド固有の社会制度や慣習に対して用いられていた語ではない。だが一五一〇年のポルトガルによるゴアの占領以降、一七世紀にはインド固有の、通婚と共食によって規制される一種の職業集団を意味する言葉として使われるようになり、一九世紀初頭までには英語において、cast、caste として受容されるようになる（藤井毅『歴史のなかのカースト』岩波書店、二〇〇三年）。

一方で、インドの概念でカーストに対応するものは二つある。ヴァルナとジャーティである（七二〜七三ページの図参照）。おそらく日本で馴染《なじ》みがあるのは、四つに分けられた階級制度のヴァルナの方であろう。ヴァルナとは元々は「色」を意味する。ヴァルナの四種姓と呼ばれるのは上からバラモン（司祭階級）、クシャトリア（王族・武士階級）、ヴァイシャ（商人階級）、シュードラ（農民・サービス階級）である。かつての不可触民であるダリトや山岳地域の部族民（アーディヴァーシー）はこの枠組みの外に置かれる。江戸時代に確立した士農工商という身分制度に似ていることから、こちらをカーストの本質として理解する人も多いかもしれないが、ヴァルナは理想社会の大枠を示したものに過ぎない。またヴァルナは紀元前二世紀にまで遡るといわれるダルマシャーストラなどのインド古法典で盛んに論じられているが、こうしたサンスクリット語の法典はバラモン階級のみがアクセスできるものだったことを忘れてはならないだろう。ヴァルナ概念がインド社会でどの程度受け入れられていたのかは、議論の余地がある。

〈ジャーティの世界〉

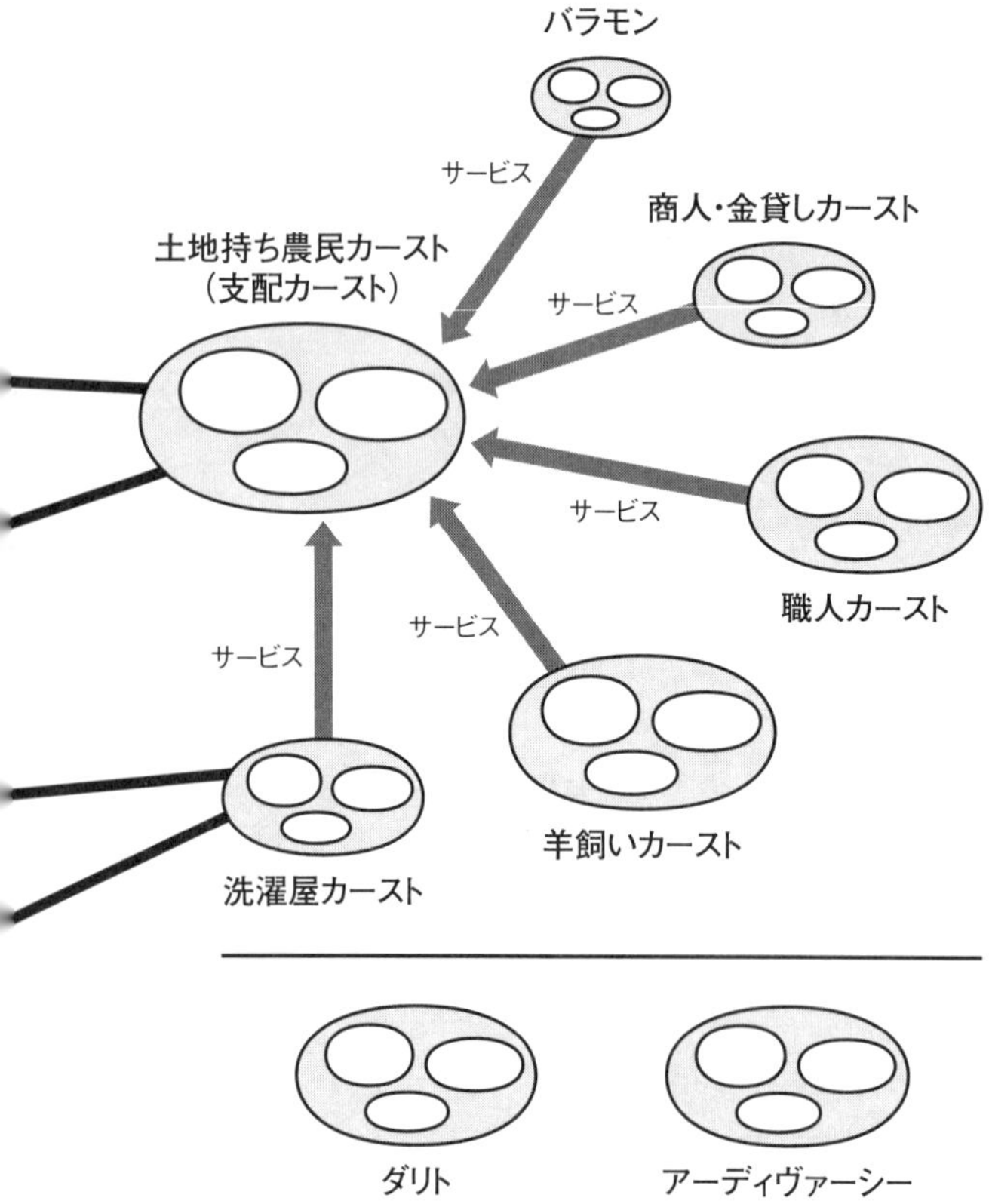

ジャーティは伝統的に職業を同じくする集団だが、内部でさらに分割され、入れ子構造を持つ。各集団がどのヴァルナに属するかは議論が分かれる。図は権力を握る支配カーストを中心とした王権モデル。

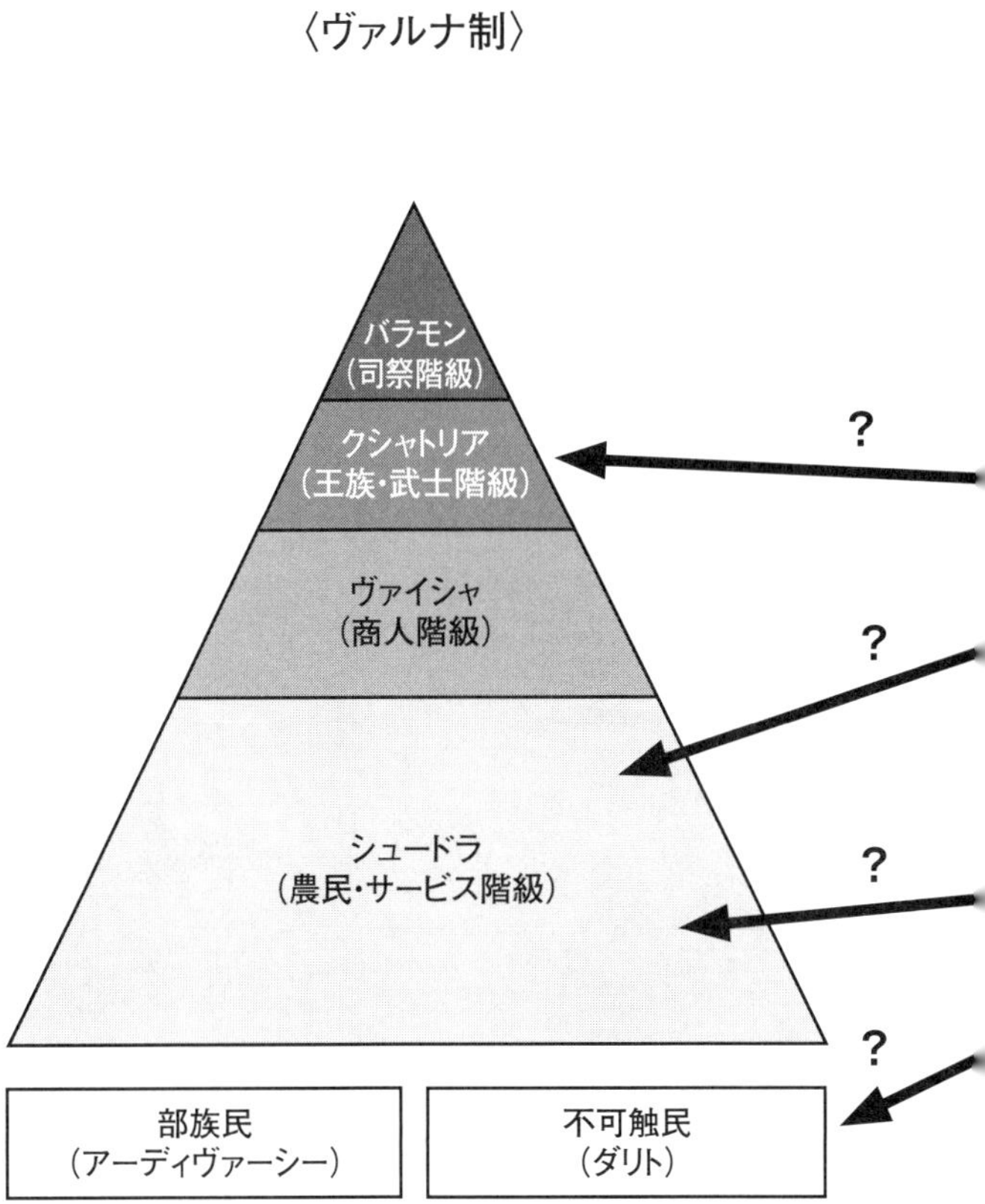

インド古典文献で理想的社会構造とされるヴァルナ制。バラモンを最上位、シュードラを最下位とする四つの層に分かれ、不可触民や部族民などは外部に置かれる。儀礼的権威であるバラモン中心のモデル。

インド人の生活において最も実感をもって「生きられている」のは、むしろジャーティという集団概念である。ジャーティは世襲的な職業（生業）に結びつけられ、その内部でのみ婚姻関係が結ばれる（内婚制）。生業と内婚規則によって維持される、大工、石工、洗濯屋、金貸し、床屋、羊飼いなどさまざまなジャーティ集団があり、こうした多様なジャーティ集団の分業によってインド社会は維持されてきた。インド人やインド研究者がカーストという場合、多くはジャーティを意味する。本書でも、カーストをジャーティの意味で用いる。

ジャーティとしてのカーストの数は二〇〇〇とも三〇〇〇ともいわれるが、実際にカーストを数え上げることは困難だ。地域的な差異も大きいが、一つのカーストは、実際にはいくつもの副次的なサブ・カーストに分かれており、さらに実際に通婚する内婚集団としてみると、サブ・カーストよりもさらに下位のサブ・サブ・カーストであったりする。カーストは複雑な入れ子構造になっており、外からみれば一つのようであっても近くによればは何十もの異なるグループが内側にあることが分かる（ルイ・デュモン『ホモ・ヒエラルキクス』田中雅一・渡辺公三訳、みすず書房、二〇〇一年。原書は一九六六年初版）。

では、ヴァルナとジャーティはどう対応するのだろうか？　ジャーティが職業集団とリンクしているのであれば、基本的には職業によって四つに分けられるヴァルナとも整合性がありそうである。だがそう簡単にはいかない。例えば、南インドにおいて石工や鍛冶屋などで作られるヴィシュヴァカルマというカーストは、創造神ブラフマーの直接の子孫であるとして、ヴァルナ位階において最高位のバラモンよりもさらに高い地位を主張してきた。だが他のカーストからみれば、彼らはシュードラである。また農業にはカーストの規制がないが、植民地時代には「農民カースト」なるものが作られたりもしている（カルナータカ州のオッカリガ・カーストなど）。人口の多さゆえにインド独立以降の選挙政治で圧倒的な力を持ったこうした土地持ちの農民カースト（「支配カースト」と呼ばれる）は、他カーストからはシュードラと思われているが、しばしばクシャトリア階級に属すると主張する。先述のデュモンによれば、外部者が簡単になれるのはクシャトリアか不可触民ということなので、言わずもがなかもしれない。

さて、カーストの上下関係は何によって規定されるのだろうか？　興味深いのはヴァルナでもジャーティでもカースト制度のトップに立つのは司祭階級のバラモンで、実際に政治的・経済的権力を握っていたはずの王や武士たちは二次的な地位に置かれていることである。バラモンは知的労働のみ行い、肉体労働を避けるため、王や有力者からの支援なしでは生きていけない。だが彼らの儀礼的な地位は王よりも上である。植民地時代からカーストに関するさまざまな理論が生み出されてきたが、そうした理論を統合し、「浄と不浄の対立」というたった一つの原理でこの不思議を説明しようとしたのがデュモンである。

浄と不浄の対立といっても、浄であるとは、極力不浄を排除した状態に過ぎない。こうした浄の状態は、不浄に対して脆弱《ぜいじやく》であり、浄性の低いカーストとの身体的接触は絶対に避けられなければならない。一方、不浄とは、死や殺生に伴うケガレ、生理や出産などの身体的なケガレによって生じるものである。動物の死骸の処理、と畜業、皮革業、清掃業、助産師などの職を伝統的に担ってきたダリトは、最も不浄な存在とされてきた。彼らとの身体的接触（もちろん結婚は論外）や身体の中に取り込まれる食べ物のやりとり、同じ場所で食事をすること（共食）などが避けられるだけでなく、村落の中でダリトが住む場所も厳重に規制されてきた。ダリト差別の厳しさは我々の想像を絶するものであるが、浄・不浄という観念は日本の文化にもしっかり根付いていて、不浄に関わらざるをえない人々への差別と結びついてきたことを忘れてはならないだろう。被差別部落の長い歴史を考えれば、インドと日本は地続きだということが分かる。

政治的・経済的な権力ではなく、浄・不浄という極めて宗教的で儀礼的な概念が優先されるというデュモンの説は多くの研究者によって批判されてきた。デュモンの理論は主に植民地時代に収集されたデータをもとにしているが、イギリス人植民地官僚への情報提供者は植民地政府に雇われたバラモンたちであり、バラモン中心の社会観が反映されたとしても不思議ではない。研究者の中には、王族や土地持ちの支配カーストを中心としたカースト社会のモデルを主張する人もいる。そのモデルでは、バラモンもダリトも支配カーストへのサービス・カーストに過ぎない。ここではヒエラルキーは重要ではなく、支配カーストへのサービスと物的見返りが重要である。これは王権モデルと呼ばれる。

どちらが正しいカーストのモデルなのかを判断するのは難しい。現実にはカーストの上下関係はやはり存在するし、カースト・ヒエラルキーでは中位の支配カーストが圧倒的な政治力を持ち続けているのも確かだ。カーストを数え上げ、その固定化に寄与したイギリスの植民地統治、そして独立後差別解消のために導入された是正処置である留保制度（リザベーションシステム、次章の【解説】で詳述）によってカーストはさらに政治化されている。カーストなどの出自による差別を禁じたインド憲法が存在するにもかかわらず、皮肉にもカーストの影響力はますます強くなっているようにみえる。

最後に、それぞれのカーストの人口比はどのくらいなのかという単純な問いを考えてみたい。実は国勢調査のカースト別人口は一九三一年以降公表されていない。二〇一一年の国勢調査でようやくカースト別の人口調査を行うことになったが、二〇二〇年の時点ではまだすべてが明らかにされていない。カーストがあまりに政治化してしまい、正確な人口比が公になることを恐れる政治家が多いからだ。ちなみに一九三一年の国勢調査によれば、バラモンは人口比四・三二％（南インドではもっと低く三％程度）、ダリトの人口は二〇一一年の調査で明らかにされており、それによれば一六・六％と、実に二億人の人々がいまだ過酷な差別を受けている。そして、この数字をみれば、カースト別人口が分かることを恐れるのが、少なくともダリトたちではないことは明らかだろう。

第二章　水の来ない団地で

極彩色の内装

ある朝、掃除や洗濯を手伝ってくれるアムダーがやってくると、彼女はいつになく興奮していた。

「アッカー（カンナダ語で姉のこと。使用人は働いている家の若い女性のことをこう呼ぶ）、本当に本当にとっても素敵なんだから。天井にはお花がついていて、それが一万ルピー（約一万五〇〇〇円）。壁と天井の境目にもデザインがあってそれは金色で、それが五〇〇〇ルピー（約七五〇〇円）。壁は青く塗られていて、それも五〇〇〇ルピー」

「ちょっと待って。何の話をしているの？　全然分からないわ」

「アッカー、隣の家が内装を綺麗《きれい》にしたんですよ。本当に素敵なの。今度一緒に見せてもらいに行きましょうよ」

「えー、それ普通の人の家の話？　何だかお寺みたいに聞こえるけど」

アムダーは私の嫌味など聞こえなかったふりをして、壁が五〇〇〇ルピー、天井が一万ルピーと呪文のように繰り返しながら床を掃き始める。

数ヶ月前に、洗濯屋カーストのアムダーの一家は「サンガ」と呼ばれる（組合でもあり互助組織でもある）カースト・アソシエーションが建てたという団地に引っ越しており、見に行かなくてはと思っていたところである。しかしお隣さんの内装の話を聞くと、とても団地の一室の話とは思えない。

数日後、さっそく大量のシーツなどが干されている広大なドービーガート（屋外洗濯場）に向かう。アムダーの団地はドービーガートの奥にある四棟あるコンクリートの四階建ての建物である。三階にあるという部屋を目指してまだ工事中なのではないかと思われるようなコンクリートの階段を上っていると、踊り場や廊下でたむろしている人たちが一緒にいるアムダーに声をかけてくる。アムダーは何やら返答している。

「テルグ語？」

私はアムダーがテルグ語話者だと知っていたので、こう尋ねると、

「あー、今のはタミル語」

さらに行くと今度はカンナダ語で隣人と言葉を交わしている。今回は私でも理解できた。

「いろんな言葉が飛びかっているわね」

「まあ、そうですね。カンナダ、タミル、テルグぐらいかな」

アムダーは学校に通ったことがない。文字を書くことも読むこともできない。それでも三つの言葉を喋ることができる。

まず、アムダーの家に通してもらう。コンクリート剝《む》き出しの床と壁。玄関も、扉ではなく、ベニヤ板で塞がれている。これでは安全でないし、冬には隙間風がひどいだろう。

「内装は自分で支払わないといけないんです」

アムダーの夫、ワスが恥ずかしそうに説明する。

「少なくとも玄関の扉はしっかりしたものをつけないといけないと思っているのですけど」

部屋は六畳ほどのリビング兼ダイニングと四~五畳の寝室が一つ。そして小さなキッチンと風呂場がついている。全体で三〇~四〇平方メートル程度だろうか。四人家族には狭すぎると思うが、私たちが住むベンガルール市の労働者階級の家としては平均的だ。

キッチンを見せてもらっていると、奇妙なことに気づいた。水道の蛇口がないのだ。コンクリートの壁には穴があるだけで水道管も蛇口もない。「水道は来ていないんですよ。毎日、団地の外に一つだけある共同水道から水をくんでくるんです」とワス。

アムダーが最近、腰が痛い、腰が痛いと言っていたのはこれが原因だったのだと気づく。ワスの説明によると、ベンガルール市の外にある貯水池から水道用水を引くパイプラインを現在建設中なのだそうで、それがここまで到達するのはおそらく翌年以降だろうとのことだった。

アムダーたちはこの団地の一部屋を破格の値段で手に入れることができた。支払ったのはわずか三万五〇〇〇ルピー（約五万二〇〇〇円）だ。アムダーとワスが住み続ければ、死ぬまで彼らの所有物であり、彼らが亡くなっても彼らの息子たちに譲ることができる。できないのは、他人に貸したり、売却して利益を得たりすることだけである。

コンクリート剝き出しのままで、水道が通っていないとはいえ、この家に移ることができて彼らの生活はずいぶんと楽になった。ワスは五〇代後半に差し掛かり、持病の糖尿病もひどくなるばかりである。彼は両親がやっていた小さな洗濯屋を引き継いだが、それだ

洗濯屋カーストの仕事場であるドービーガート。背後に見えるのはベンガルール市が建てた真新しい団地。（著者撮影）

けでは家族を養うことができず、今はサンガがやっている大型機械を使った洗濯場で働いている。

ここから彼に支払われる給料は月わずか六〇〇〇ルピー（約一万円）。この団地に移る前には、本当に小さな六畳ほどの部屋を間借りして家族四人住んでいたが、そこの家賃は月四〇〇〇ルピーであった。つまり、給料から家賃を引いたらほとんど金が残らないという生活をずっと続けていたのである。私がアムダーに支払うわずかな給金がなければ、家族は食べていくことも難しかったであろう。

我々が生活するベンガルール市マレーシュワラム地区のドービーガートでは、いまだに手で洗濯している人たちが多くいる。そういう人たちは日焼けして筋肉が隆々とし、なんとも神々しい身体を持っているが、シーツなどの大きな洗濯物を頭の上まで振り上げて、コンクリートの床に叩きつけて洗う作業は傍目《はため》にもとんでもない重労働だ。同じドービーガートのワスが働く作業場では大型機械がすでに導入されているので、なぜ今でも手作業で洗濯する人がいるのかが分からなかった。

その疑問をワスにぶつけてみる。

「実は機械洗濯の方が費用がかかるのです。水も多く使いますし、電気代、それから洗剤もバカにならない。手洗いの方がまだずっと安いのです」

本来、経費が減るはずの機械化が、ここでは高級なオプションでしかないことに驚いた。逆にいえば、それだけ人件費がかからないということなのだ。生身の人間を酷使した方が機械を使うより安い。それはインドの中流家庭で洗濯機がなかなか普及しなかったこととも関係する。洗濯機を買うよりも、お手伝いの女性を雇った方が安価なのだ。最近ではお手伝いさんも洗濯機のない家で働くことを嫌がるようになってきたと聞くので、少しずつ状況は変わってきているのかもしれない。

さて、ワスがなけなしの金を使って、私にソフトドリンクを買って来てくれたので、それをありがたくいただいた後、お隣の「本当に本当にとってても素敵！」なおたくを見せてもらうことにする。お隣さんは身なりの良い中年の女性で、私が部屋を見たいと言うと満面の笑みを浮かべて、どうぞどうぞと中に入れてくれた。

なるほど、アムダーが興奮するわけである。リビングルームの壁の上部、天井と接する部分には連続した蛇腹状の装飾がつけられ、金色に塗られている。天井の中心には西洋建築でいうところの円形の「ローズ」がつけられ、そこにピンクや緑に塗られた花々がちりばめられている。オレンジ色に塗られた壁には錫《すず》か何かで鋳造された象の頭を持つガネーシャ神が飾られている。内装はお世辞にも趣味が良いとはいえないが、どこもかしこも新品で清潔である。荒々しいコンクリート剝き出しのアムダーの家とは比べものにならない。台所にも真新しいキッチンユニットが入れられて、美しいタイルが貼られ、水道にはピカピカの蛇口がつけられている。アムダーが憧れて真似《まね》したがるわけだ。

「水は出ますか?」と聞くと、「数ヶ月待てば水は来るって、サンガは言うのよ。それを信じて待つしかないわね」と笑う。

これだけ豪奢《ごうしゃ》に飾りたてた家に水が通っていないという不可思議さに、インドの経済発展の不均衡さが表れているように思った。

この不均衡さ、あるいは不健全さは都会だけでなく農村部に行っても同じだ。安全な飲み水、トイレ、安定した電気供給など基本的なインフラが全く整備されていないところでも、人々はスマホを使って、YouTube の動画を見ている。小学校には机も椅子もないが、若者たちは借金をして最新のヤマハのバイクにまたがっている。私たちが当然と思ってきた発展の順序はもうそこにはないのだ。そしてその一見おかしな発展の順序を批判する権利も私たちにはない。

アムダーたちの部屋に戻って、隣の家がいくら使ったのか尋ねる。どうやら一五万ルピー（約二二万円）以上費やしたらしい。これは日本の物価に置き換えると、二〇〇万円かそれ以上払う感じであろうか。どうも隣の家の息子は稼ぎの良い仕事に就いていて、お金に困っていないらしい。

それにしても、アムダーたちがそんな大金を用意することができるのだろうか。

ワスがおずおずと切り出す。

「マダムに助けてもらえないかと思っているんです。全額とは言いません。一部出してもらえば、あとは借金をしてなんとかします」

私は、一体どうやってお金を工面しようかと、コンクリート剝き出しのゴツゴツした天井を見上げた。

文字のない世界

アムダーが私のところにやってきたのは、二〇〇九年七月。私がベンガルール市の古い住宅地マレーシュワラムのアパートに引っ越してきた翌日の朝のことである。まだ最低限必要な家具も揃っていないような状態の中、突然二人の女性がやってきた。一人はいかにもやり手という感じの積極的で押しの強い若い女性だった。彼女が言うには、私には家事手伝いの女性が絶対に必要らしい。私は、「この家には長くても一年に数ヶ月いるくらいで、ずっといるわけではないし。ほとんどは私一人だけだから、掃除や洗濯など自分でもできるし、お手伝いはいらないです」と断ったが、彼女は引かない。

家事手伝いのアムダーとその家族。団地にまだ水道が通っていない頃。（著者撮影）

「ここは埃が毎日入ってくるから、毎日ホウキで掃いて、雑巾でふかないと。そんなこと、あなたにできますか？」

強気に出られてぐうの音もでない。

「そんなに毎日やらなくても私は気にならないけど……」

「毎日やらなきゃダメ。マダム、あなたにはケラサダワル（お手伝いさんのこと）が必要です」

どうもこのやり手の女性は、彼女の後ろで大人しくしている大柄の女性を私に雇わせようと思っているらしい。やり手女性の勢いからすると、私が雇うと言わない限り、彼女たちは家から出ていかないなと感じた。

確かに掃除を手伝ってくれる人がいると助かるし、洗濯機のないアパートだったので手で洗濯するのは大変だなと思い始めていた。しかし私がいない間はどうしようなどと、いろいろな計算が頭を駆け巡る。でも一番の決め手は黙ってニコニコしている後ろの女性の様子だった。信用できそうな人だなと直感した。

「分かりました。お雇いすることにします」

やり手女性は、それが当然の決断だとばかりにドヤ顔で帰っていった。残った女性は自分の名前はアムダーだといい、明日から来てくれるという。こうして私と彼女の実に一〇年以上にわたる家族ぐるみの付き合いが始まった。

アムダーの喋るカンナダ語は当時それほどうまくなく、コミュニケーションには手こずった。だが私はなんとか彼女が元々はタミル・ナードゥ州の出身だが、借金が返し切れなくなりカルナータカ州のベンガルールに逃げるようにやってきたこと、はじめの夫は暴力がひどく、別れたこと、再婚した夫のワスはずっと年上だが、アムダーの連れ子である長男のカーティックにも優しいこと、次男のガネーシャはワスとの子供であることなどを聞き出すことができた。

彼女は全く学校に通ったことのない、いわゆる「非識字者（illiterate person）」である。現在インドの識字率は全国平均で七七・七％（都市部八七・七％、農村部七三・五％。National Sample Survey 2017-18）で、カルナータカ州の数値は七七・二％であるからインドでもほぼ平均的といえる。独立直後の一九五一年には全国平均がわずか一八％程度であったことを考えると、驚くべき進歩だといえるだろう。今学校に通っている子供たちが大人になる頃には九〇％を超えるに違いない。とはいえアムダーのように、低カーストで労働者階級に属する女性たちの中には文字を知らない人は今でも珍しくない。当時三〇代前半だったアムダーでもそうなのだから、年配の人であればなおさらである。

一方で、学校に通い、文字を習うことを当たり前と思っている私たちは、「文字を知らないこと」「学校に行ったことがないこと」を本当に理解しているだろうか？

私はインドの識字率に関する知識があるし、労働者階級の女性たちには学校に通ったことのない人が多いことも知っていた。だがそれがどういう意味を持ち、彼女たちの自尊心にどういう影響を与え、生活の在り方をどう決定づけているのかを真に理解していたとはいえない。どこかで「文字を知らない」とは新聞が読めない程度のことだと思っていた気がする。

私が、文字を知らない世界の一端に触れたのは、二〇〇〇年代初頭、博士論文のための調査をしていたマイスール（マイソール）市でのことである。一〇ヶ月、インド国立言語研究所で寮生活をしながらカンナダ語を習得したのち、サンスクリット学者の家で居候生活をしていた。毎日そこから観光地としても有名なマイスール王宮へ歴史資料の調査のために市バスで通っていたのだが、バス停までの道を歩いていると、近くのわずかに残った畑で働く数人の女性たちに必ず大声で呼びかけられた。高級住宅地では皆、運転手付きの車で移動するので、道を歩いている私は珍しい存在だったのだろう。

「おい、そこのあんた、今一体何時だい？」

「八時四五分を過ぎたところですよ！」と叫び返す。

彼女たちは礼も言わず、片手をあげて了解したことを伝える。

はじめはカンナダ語の練習になって便利だと思っていたが、来る日も来る日も、朝と夕、必ず聞かれるので徐々にイライラしてきた。当時は一九九〇年代初頭より進められてきた経済自由化の影響で、安い中国製品が市場に溢《あふ》れ始めており、腕時計も以前のような高級品ではなくなっていた。だから、私にいちいち聞かずとも、彼女たちもいい加減安い時計を買えばいいじゃないかと思ったのだ。だがそう思った瞬間、私は雷にでも打たれたかのように、突然気がついた。

彼女たちは時計が読めない。

私はそんな単純な事実をずっと理解できないでいたことを強く恥じるとともに、「文字を知らないこと」の深淵をのぞいた気がした。

物心ついた時から学校という制度に依存し、今では飯のタネにまでしている私に、本当に「文字を知らない」世界を理解できるのかは分からない。だが文字を知らない女性たち、主にお手伝いさんやその友人の女性たちと付き合う中でその一端を少し実感できるようになってきた。例えば彼女たちは数字が読めないので、スーパーのように値札を見て値段を判断する場所には行けない。トマトの値段が先週いくらだったかは正確に覚えているにもかかわらずだ。数字くらい覚えればいいじゃないかと思うかもしれない。だが毎日仕事と家事に追われている彼女たちに、一定の時間座って何かを学ぶような余裕はない。

「文字を知らない」ということは、生活していく上で著しく不便だというだけではない。文字のある世界で彼女たちは必要以上に萎縮してしまう。当時、お世話になっていたお手伝いさんは、肝っ玉の据わった中年のシングルマザーで、近所のお手伝いさん仲間の女性たちからも頼られていた。だがある日、学生でしかも外国人の私に、ガスの契約に同行してくれと頼んできた。ガス会社の代理店で、彼女がどれだけ小さく見えたか、忘れることができない。

そして、もしかすると「文字を知らない」ことは、人間の感性が花開くことまでも制限してしまうのかもしれない。

山本栄子さんという私が尊敬する大先輩は、被差別部落出身で差別のために十分に教育を受ける機会がなかった。だが子育てしながら自宅を開放して識字教室を始め、退職してから夜間中学で学び直した。その後、高校を修了し、大学まで進学した。栄子さんは、どんな年齢でも学び直す機会はあるのだと身をもって教えてくれる。その栄子さんはこんなことを書かれている。識字運動の仲間の一人が、「夕焼け」という漢字を習って初めて、それがどれほど美しいものかを知ったというのだ（山本栄子『歩——識字を求め、部落差別と闘いつづける』解放出版社、二〇一二年）。文字を知らないことによって、世界の美しさが減じられてしまうのなら、こんな悲しいことはない。だが、もしかしたら、文字のない世界も文字のある世界もどちらも世界の美しさに向き合えていないのかもしれない。ただただ生きることに必死で。

アムダーのような文字を知らない労働者階級の女性たちの中にも、朝から何軒もの中流家庭を訪れて家事をして、それなりに稼いでいる女性はたくさんいる。ここ数十年ベンガルールにも増えてきているアパートメントと呼ばれる高級マンションの中で数軒担当すれば、移動時間を無駄にすることなく、一般的な労働者階級の男性より多く稼ぐことも不可能ではない。

インドの中流階級は掃除・洗濯・料理などを請け負ってくれる家事手伝い人に完全に依存している。デリーやベンガルールのような大都会では、こうした家事手伝い人を確保するのに苦労するようになってきているようだ。そのため、北東インドなどの貧しい地域から少女たちを呼び寄せて住み込みで働かせている家庭もある。中流家庭による依存と、こうした仕事をしたいと思う労働者階級の女性が減っていることで、彼女たちの給金も少しずつではあるが上昇している。

だからアムダーがその気になりさえすれば、生活水準を上げることもできるのだ。毎日来てもらうほど家事に困っていなかった私は、アムダーに何度も他の家でも働くことを勧めたが、アムダーは上の空で「近所にいい場所があればね、アッカー」などと言うだけで重い腰をあげない。私はいつまでもインドに滞在するわけではないのだから、彼女の将来が心配でたまらないのだが、アムダーはあまり先のことを考えたくないようだ。アムダーとも顔見知りの運転手のスレーシュに相談すると、「彼女を一目見れば、(怠け者なのは)明白でしょう」などとセクハラまがいの発言をする。だが、彼女が太っていることも、疲れやすいことも、もしかしたら何度もかかっているであろうマラリアなどの感染症による後遺症ではないかと私は密かに疑っている。彼女の子供たちも小さい頃から頻繁にお腹《なか》をこわしたり高熱に悩まされたりしている。貧困が身体に残す傷跡は深い。

洗濯屋カーストのグル

私がベンガルールに滞在していたのは、グルと呼ばれる宗教リーダーに関する調査のためであった。

グルといえば、アフロヘアーのサッティヤ・サイ・ババや、ニューエイジのグルとして欧米で人気のあったバグワン・シュリー・ラジニーシ（オショウ）や、最近ではアート・オブ・リビングのシュリー・シュリー・ラヴィ・シャンカールや、ハグをするアンマーが有名どころだろうか。私が関心を持っているのは、そうしたグローバルに活躍するハイパー・グルではなくて、地域社会に根ざしたローカルなグルである。彼らの多くはカースト集団と強い関わりを持っている。特に一九九〇年代以降、カルナータカ州では伝統的にグルが信仰の中心にいなかった低カーストやダリトのグループまでも、自分たちのグルを擁するようになった。名も知られていなかったような宗教家が発掘されたり、低カーストにもイニシエーション（宗教的伝授）を与えてくれるアーシュラム（出家者が生活する隠遁所）などに宗教に関心がありそうな若者を送り込み、宗教家としてのトレーニングを受けさせたりすることが行われている。

ある日、アムダーに誘われて、彼女が属するマディヮーラと呼ばれる洗濯屋カーストによるお祭りに参加した。このお祭りは、地元マレーシュワラムで一番古いシヴァ寺院から、シヴァ神自身がドービーガートの脇に建てられたマディヮーラの聖人マーチデーヴァの寺院までやってくるという一大イベントである。地域で一番パワフルな神がわざわざマディヮーラの寺院にやってくるということは、彼らにとって非常に名誉なことである。

マディワーラの女性たちは、布を知り尽くした人々らしく、揃いの美しいサリーで着飾っていた。普段着で参加してしまった私は大いに反省した。マレーシュワラムの丘の上の寺院から、神の地位を象徴する傘の下に色とりどりの花で飾られた銀製のシヴァ神の像が山車《だし》に乗せられ、住宅地の中を移動する。音楽隊や司祭たちが山車を先導するが、それより前にマディワーラの女性たちが長く白い布を道路に広げていく。シヴァ神の山車はその上をゆっくりと進んでいく。シヴァ神がマーチデーヴァの寺院を訪れた後、仮設のテントでマディワーラのグルのありがたいお話が始まった。インドの古典が頻繁に引用される話を真面目に聞いている人はほとんどいなかったが、集まった数百人は皆楽しそうにしていた。その後は長いテーブルの上にバナナリーフが置かれ、皆に食事が振る舞われた。大人も子供も笑いが止まらない楽しい一日であった。

マーチデーヴァは一二世紀に実在したとされる人物で、当時カルナータカ北部を中心に大きな影響力を持ち、カーストや儀礼主義を否定し人々の平等を説いたバサワという革命的宗教家の弟子の一人であった。マーチデーヴァは武装した吟遊詩人で、カルナータカ各地をめぐりながらバサワの教えを広めたといわれる。彼自身が洗濯屋カーストの出身であったことから、現在では洗濯屋カーストの聖人としてカルナータカ州各地で祀《まつ》られている。

バサワとその弟子たちは、ワチャナと呼ばれるカンナダ語の詩を多く残している。マーチデーヴァが作ったとされるワチャナだけでも数百あるといわれているが、それらの解釈や翻訳はなかなか進んでいない。カンナダ語で書かれた詩であるとはいえ、一二世紀に作られた歌の意味を理解するのは現代人には難しい。ちなみに、マーチデーヴァはドービーガートの祠《ほこら》でも祀られているのだが、アムダーはそれが誰なのか、名前すらも知らない。彼女の知っている神々の世界に彼女のカーストの聖人は入っていないのだ。

ここ数十年の間に、マーチデーヴァのようなカースト聖人の発掘・再評価が特に低カーストの間で進んでいる。これまで一部の人にしか知られていなかった聖人の伝承を掘り起こし、カーストのシンボルとして利用しているのだ。各地のドービーガートにはマーチデーヴァの祠が建設され、マーチデーヴァの祭りが大々的に開かれる。地元の新聞にはマディワーラ・カーストのリーダーや政治家たちが山車の先頭に立って歩く姿が掲載される。

そして（旧不可触民のカテゴリーである）指定カースト枠にマディワーラが入ることを主張するのだ。私が参加したお祭りでもカースト・リーダーたちが熱心に話していたのはこのこと。他の州ではすでに指定カーストに入っているのに、カルナータカ州では遅れている。我々が歴史的に受けてきた差別を考えれば、指定カーストに入って当然だというスピーチが延々とされていた。インドでは、政《まつりごと》と祝祭との距離が近い。

他の低カーストと同様に、マディワーラは聖人を見つけだしただけでなく、自らのグルを担ぎ出し、マタと呼ばれる僧院も作った。カルナータカ州ではヒンドゥー至上主義のインド人民党が政権を何度か取っているが、彼らはこうした新しく設立されたカースト僧院に国有地を与えたり、ちょっとした助成金を与えたりして、懐柔策を行っている。祭りの席で話していたのも、こうした新しい潮流で表に出てきたマディワーラのグルである。

後日、私はアムダーとワスを誘ってマディワーラの僧院を訪れた。アムダーもワスも自分たちのカーストに僧院があることを知らなかったが、住所などはワスがサンガを通じて調べてくれた。マディワーラの僧院はベンガルールから車で数時間のところにあり、グルは機嫌よく我々を迎えてくれた。他に客はいない。広大な土地にはマンゴーが植えられている。僧院の中には現グルの祖父の兄だという先代のグルが祀られていた。先代のグルは地下に掘られた部屋で三〇日も四〇日も連続して瞑想《めいそう》していたのだという。

マディワーラのグルには、なぜマディワーラにグルが必要なのか、新しい聖人が必要なのかを聞きたいと思っていた。しかし私の問いをのらりくらりとかわしながら、グルはインド古典のマハーバーラタやウパニシャッドから小咄《こばなし》を引き合いに出しながら、淀みなく延々と喋り続けた（これも一つの才能だ）。取り留めもない話が何時間も続くので、アムダーも運転手のスレーシュもあくびを噛《か》み殺すのに必死だった。唯一、目をキラキラ輝かせて、グルの話に聞き入っていたのがワスだ。

「本当は僕も結婚などせずに、宗教のためにだけ生きる人生を送りたかったのです。家族に説得されて仕方なく結婚したのです。瞑想も時間があればやってみたいと思っていました。今でも可能であればサンニヤーシ（世捨て人、出家者）になりたいです」

などと言い出すので、私とアムダーは思わず顔を見合わせてしまった。

帰りの車の中でワスはマディワーラの僧院に連れてきてくれて本当に感謝していると何度も口にしていた。

私は、僧院の入り口に止まっていた州政府から与えられたグルの公用車が気になっていた。別の僧院で見たのと同じだ。聞いたところでは、州政府からカースト・グルたちに配られた車で、運転手の給料も州政府から出ているらしい。グルのつまらない話が続いていた中、そっと抜け出したスレーシュは、僧院の土地で採れるマンゴーの販売だけで数千万ルピーもの収入があるらしいと近所で聞き込んでいた。正直なところ、このグルがマディワーラ独自の宗教文化を発展させたり、彼らの誇りの拠《よ》り所《どころ》となったりするかは大いに疑問だ。だが、少なくともこのグルは「マディワーラのグル」となることで、州政府から認知され、経済的な基盤を得たようだ。

アムダーとワスを団地の前で下ろした後、スレーシュは言った。

「マダム、今日は無駄足でしたね」

カースト・アソシエーションとインフォーマルな社会保障

年金、医療保険、生活保護などの国による社会保障が脆弱な（というよりもほとんどない）インドでは、家族や親族とのつながりが生きていくためには不可欠だ。だがこうした血縁による支えの他に、職業組合やサンガ（カースト・アソシエーション）のような、「カースト」をベースにした組織もまた重要な社会保障を提供する。


ある日、何気なくワスに聞いてみた。

「あなたにとってサンガってどういうものなの？」

ワスは目を見開いてはっきりと言った。

「サンガがなかったら、私たちはとっくに野垂れ死にしていましたよ」

「カースト」とカッコ付きにしたのは、この「カースト」なるものが実はかなり近代の、そして植民地統治による「創られた伝統」だという側面があるからだ。多くの歴史家や人類学者が明らかにしてきたように、イギリス統治政府は、複雑怪奇なインド社会を合理的に（もっとはっきり言うとできるだけコストをかけずに）統治するために、インド社会を構成しているようにみえた出自に基づいたグループを「カースト」として定義し、数え上げ、それぞれのカーストに固有の歴史、慣習、文化を調べ、分類し、序列化した。

一九世紀後半から二〇世紀初頭にかけて、植民地政府による国勢調査、植民地官僚でもあった人類学者による民族誌は、それまで境界が曖昧で、複層的・流動的であったカーストをより固定的なものとして作り替えていった。集積されたコロニアルな知識は、ある特定のカーストから兵士や警官をリクルートする際の根拠とされるなど、職、つまり生活の糧にもつながっていく。そうなると、インド人側の「カースト」意識も刺激され、自らカーストの歴史を書いたり、植民地政府側が描き出すカースト・イメージを補完したり、修正したりするようになった。そして統治側が作り出した「カースト」社会像に呼応するようにして、全国で続々とカースト・アソシエーションなる団体が作り出されるようになる。

当初のカースト・アソシエーションの目的は、主に三つあった。統治側によって示されたカースト序列よりも高い地位を主張すること。植民地政府によって生み出された近代的な職（役人、兵士、警察官など）を確実に得られるようにすること。そして徐々に自治権を与えられていた地方議会などにカーストの代表者を送り込むことであった。第一の目的を果たすために、多くのカーストはそれまでの慣習を改め、上位カーストの慣習（菜食、禁酒、寡婦の再婚禁止など）を集団として取り入れて、より上位の身分を主張した（こうした行為をサンスクリット化という）。

またカーストの歴史を書くこと（でっち上げること）で、いかに自分たちがある特定の職にふさわしいかを主張するカーストもあった。おそらく最も重要だったのは、多くのカースト・アソシエーションが、自らの社会的地位を向上させるために、都市部で無料の学生寮を運営し、同じカースト出身の子弟が高等教育を受けられるようにしたことだろう。日本の県人会の活動に少し似ているかもしれない。こうした「共助」によって、それまで官僚や法律家の職をほぼ独占していたバラモンに対抗できるカーストが二〇世紀前半に徐々に現れてくるのである。例えば、次章に出てくるリンガーヤト・カーストは、カースト・

アソシエーションと僧院が協同して教育レベルを大きく上昇させ、同時に州内の反バラモン運動を牽引《けんいん》した。そして土地持ちで人口も多い彼らは、独立後のカルナータカ州における政治で、もう一つの農民カーストであるオッカリガ・カースト（ガウダとも呼ばれる）とともに、州の議会政治を牛耳るようになったのである。

植民地統治によって刺激されることで誕生したカースト・アソシエーションは、メンバーの生活基盤を守るために、現在も政府との交渉役を担い続けている。初期において、こうしたアソシエーションを組織し、政府とやりとりできたのは比較的上位のカーストであった。マディワーラのような、いわゆる後進カーストがアソシエーションを作るのは、ずっと後のことで、一九七〇年代に入ってからである。

初期のカースト・アソシエーションが自らの誇りと職の確保のために、より高いカースト地位を主張したのとは違って、二〇世紀後半以降のカースト・アソシエーションが指定カースト枠に入るために、より後進であることを主張するのはなんとも皮肉なことである。差別と経済格差是正のために、一定の比率で公務員職や大学などの高等教育機関への入学枠、議会での議席数が、指定カースト（ダリト）、指定部族（アーディヴァーシー）、さらに

「その他後進諸階級」として認定された低カーストに優先的に与えられる留保制度（リザベーション・システム）が導入されると（本章の【解説】を参照）、より「後進」であることが自らの集団にとっての利権につながるようになる。

だが「後進」であることが認められ、紙の上では大学に入りやすくなったり、公務員職を得やすくなったりしたとしても、こうした恩恵を受けられるのはごくわずかな人である。当初はせっかく大学で低カーストのために確保された留保枠が満たされないことが長く続いていた。つまり高校卒業資格を持って大学に進もうとする低カーストの若者の数が少なすぎたのだ。そこまでたどり着くことすら、困難であったのだ。それでも徐々に改善され、最近では留保制度を使って入学した学生の入試での点数と一般枠で入学した学生との点数の差が縮まり、分野によっては一般枠入学の最低点が留保枠の最低点を下回ることもあるようだ。とはいえ、カーストに由来した社会格差を考えれば、留保制度の必要性は変わっていない。

マディワーラ・カーストが、旧不可触民であるダリトと同じ指定カーストに含まれるべきだと主張しているのには理由がある。彼らは伝統的に低カーストであるシュードラの中でも最も低く、ダリトのすぐ上に相当するカーストだと思われてきた。彼らがなぜ低い地位にあると思われているかというと、それは女性の月経の血がついている服を洗うためだという。不浄は、死や病気だけでなく、月経や出産など生命の誕生に関わることからも生じると考えられている（だから月経中の女性はどんなカーストに属していても不浄とされる）。マディワーラとは「清める人」という意味であるが、そのような浄性（マディ）を作り出す人々が汚れた存在とされているのである。

二〇世紀前半に植民地官僚兼人類学者によって盛んに書かれた一種のカーストのカタログに「トライブ&カースト」シリーズがある。そのマイソール版（*The Mysore Tribes and Castes*、全四巻、一九二八～一九三五年）では数十ページにわたって、マディワーラ（同書ではアガサとして挙げられている）の生活環境やさまざまな慣習が描写されている。そこで、彼らの起源神話として紹介されているのがこの話だ。

ある時、五人の大女神（三大男神ブラフマー、ヴィシュヌ、シヴァのそれぞれの妻であるサラスワティ、ラクシュミー、パールヴァティーに、インドラとスーリヤ神の妻であるサチとチャーヤ）

が生理中に汚れた服を洗ってくれる人を見つけることができず困り果てていた。そこへたまたま男の子を連れた女性が通りかかった。女神たちは何でも欲しいものをあげるからと言って、その女性に洗濯を頼んだ。女性は汚れた服を束にして海へ運んで行った。だが、洗濯板や洗剤がなかったので、息子の首を切って、彼の血液を染料に、目を藍の代わりに、肉は漂白剤、背中を洗濯板とし、脚は燃料にして、腕は布を張るための棒として、腹は鍋として使った。火の神アグニに祈ることで火をおこし、汚れた服を綺麗にして、女神たちのところへ持って帰った。女神たちはその仕事ぶりを見て、大いに満足したが、女性と一緒にいた男の子がいないのを訝《いぶか》しく思い、どこにいるのかと尋ねた。女性はしぶしぶ、息子の身体を使ったことを告白した。少年の犠牲にいたく感動した女神たちは、女性に少年の名を呼ぶように促した。女性が彼の名を呼ぶと、少年はニコニコとして母親の前に現れた。女神の夫である大神たちは一連の出来事を聞いて喜び、女性のさらなる願い事を叶《かな》えることにした。女性は、膝まである洗濯用の水と、労賃として足首まで来るだけの食料と、そして洗濯する権利を独占することを望んだ。マディワーラ（アガサ）は一度殺され生まれ変わった少年の子孫であると信じられているという。

インドの神話で神々を感動させるために子殺しをするのは珍しいことではない。だが、そこまでした代償が、水と肉体労働への当然の支払いと職の独占でしかないのはなんとも悲しい。神々が約束した条件を、現代ではカースト・アソシエーションが守っているということだろうか。

ちなみにアムダーが「サンガが建てた」と語る団地は、実はそうではない。ベンガルール市当局がスラム・クリアランス事業の一環として市内各地で建てている団地の一つである。土地使用権を持っているサンガが市当局と交渉し、マディワーラが優先的に入居できるようにしたのだ。団地四棟のうち二棟には別のカーストの人たちが入居している。アムダーたちはこの人たちとは全く交流がないようだ。

「バラモンとかガウダ（政治力のある農民カースト）までいるらしいって噂《うわさ》ですよ」

なんて眉をひそめている。スラム・クリアランスだからといって、それまで本当にスラムに住んでいた人が優先的に入居できるなんてことを信じている人は誰もいない。どれだけ役人にコネを持っているかがすべてだ。

そんな時、カースト・アソシエーションが味方について政府や市当局などとの交渉役を務めてくれるかどうかは、やはり大きい。

【解説：新しいインドを理解する三つのＭ】

一九九〇年以降のインド——これを新しいインドと呼ぼう——を理解する鍵が三つのＭだ。一つ目は市場（マーケット）経済のＭ。二つ目はマンダル委員会のＭ。最後にマスジッド（あるいはモスク）のＭ。

まず市場経済のＭ。一九八〇年代後半、インド経済は巨額の国家債務、物価高、高い失業率に苦しんでいた。この状況は、一九九〇年八月のイラクによるクウェート侵攻によってさらに悪化した。それまでインドはクウェートから割安価格での原油輸入を保証されていたが、クウェートからの原油輸入が止まると、インドは国際市場で原油を調達しなくてはならなくなり、それによって国内の石油と灯油の価格は暴騰し、多くのインド人の生活を直撃した。原油購買価格の上昇による国際収支の赤字がインド・ルピーの下落を招き、さらに赤字が拡大するという典型的な開発途上国型の経済危機ループに陥る。

一九九〇年一二月には、インドの外貨準備金はほぼ底をつき、対外債務の支払いが不能となるデフォルト状態寸前となった。このため一九九一年、インドは国際通貨基金（IMF）から、非常に不利な条件で財政援助を受け入れざるをえなくなった。ちなみにインドの中央銀行にあたるインド準備銀行は六七トンもの金塊をイギリスとスイスの銀行に空輸し、IMFからの債務の担保としなければならなかった。空港まで秘密裏に金塊を運んだ車はその重さでタイヤがパンクしたそうだ。

独立後インドの首相J・ネルーの五カ年計画に代表されるような社会主義的計画経済は、八〇年代以降、徐々に自由主義経済へと移行しつつあった。だがIMFからの財政援助は、インド経済のさらなる規制緩和・自由化を急速に推し進めることが条件とされた。新たに財務大臣に就任した、後にインド首相となるマンモハン・シンは、外国資本を誘致するために多くの規制緩和を導入し、技術開発や産業発展が進みやすくした。

現在、インドにはまだ外国資本へのさまざまな規制があり完全な自由主義経済とはいえないが、一九九一年に方向付けられた自由化への流れは継続しているといえる。一方で、国からライセンスを受け、ほぼ市場を独占していたインド企業は国際競争に勝てず姿を消しつつあり、また終身雇用が保証されていた労働者たちもその多くは職を失った。

時計といえば六〇年代にシチズンの技術提供を受けたHMT（ヒンドゥスターン・マシーン・トゥールズ）、車といえば国民車アンバサダーという時代は終わりを告げ、インド市場には安価で多様な商品が溢れるようになった。インド経済は、一九九〇年代以降奇跡的な成長を遂げ、中国に次ぐ経済成長率の達成に成功した。一方でいわゆるフォーマル・セクターにおける労働の非正規化も進んでおり、経済発展の陰で格差は広がっている。

二番目のMとしてあげたマンダル委員会。これは一九八〇年に提出された第二次後進諸階級委員会の報告書（委員長B・P・マンダルの名前をとって一般にマンダル・レポートと呼ばれる）の提言にあった「留保制度」の拡張が、一九九〇年に少数与党ジャナタ・ダルの首相であったV・P・シンによって提案されたことを意味する。

まず「留保制度（リザベーション・システム）」とは何か。これは歴史的に差別されてきた旧不可触民（ダリト）を含む「指定カースト（scheduled castes）」と部族民（アーディヴァーシー）を含む「指定部族（scheduled tribes）」などの特定のカテゴリーの人々を対象とし、教育機関への入学、公務員職への雇用、さまざまなレベルの議会における議席数の一定の割合を優先的に確保する是正措置である。イギリスの植民地統治下においても、南インドや西インドなどでバラモンによる官僚職独占を是正する政策などが取られたが、独立後はインド全土で導入された。留保制度の法的根拠は、インド憲法に明記された不平等や格差の解消に国家が取り組むこと（第四章）、社会的弱者層への教育的経済的利益の促進を図ること（第四六条）である（押川文子「留保制度」、辛島昇ほか監修『新版　南アジアを知る事典』平凡社、二〇一二年）。

ダリトやアーディヴァーシーの社会的・経済的地位向上のために導入された留保制度だが、導入から長い間、応募資格者が少なく留保率が達成できない状態が続いた。大学の入学枠が確保されていても、そこまでの教育を受けることのできたダリトやアーディヴァーシーはほとんどいなかったからである。その状況は徐々に改善されつつあるが、せっかくエリート大学に入学しても、エリート階層出身の学生との英語力や学力での格差から激しい劣等感に苛《さいな》まれるダリト学生も少なくない。大学側にはこうした学生が必要とするケアを行うためのリソースが十分にあるとはいえない状況だ。

さて、主にダリトやアーディヴァーシーを対象とした留保制度であったが、憲法で明記された「社会的教育的後進諸階級」からこの二つのカテゴリーを除いた部分、つまり低カーストではあるが、ダリトやアーディヴァーシーではない人たちを対象とした「その他後進諸階級（Other Backward Classes）」（通常OBCと略される）にも留保制度を拡張しようという議論は一九五〇年代から続いていた。一九七〇年代末に設置された第二次後進諸階級委員会（マンダル委員会）は先述の通り一九八〇年に報告書を提出するが、激しい反対にあい、その導入は先送りされていた。マンダル・レポートの提案は、これまで全国平均で指定カーストに一五％、指定部族に八％（これらの割合はほぼ人口比に相当する）が留保されていた措置に加えて、いわゆるシュードラにあたる人々などにも二七％の留保を与え、合計で五〇％にするというものだった。

留保制度の拡張が導入されることになった時、特に高カーストの学生たちは自分たちの権利が侵害されるとして猛反対し、デリー大学の学生が抗議のために焼身自殺をはかった（本人は大火傷《おおやけど》を負い、一四年後に死亡）ことをきっかけに、多くの学生の自殺が続いた。当初から多くの反対があった留保制度の拡張が実現されたのは、低カーストを中心とした政党が政治力を持ち始め、発言力を強めていたことが背景にある。一九九〇年代以降、上位カーストや土地持ち農民カーストによる政治支配が徐々に揺るがされるようになった。

最後のMはマスジッド（モスク）。これは一九九二年一二月に北インドのアヨーディヤにあったモスク、バーブリー・マスジッドがヒンドゥー至上主義を支持する群衆によって破壊された事件を指す。

アヨーディヤはインド二大叙事詩の一つ、ラーマヤナの主人公であるラーマが生誕したとされる場所である。一八五〇年代から一部のヒンドゥー至上主義者が、ここには本来ラーマ寺院があり、それがムスリムによって破壊されたと主張し始め、一九四九年にモスクの内部に無理やりラーマとラーマの妻であるシータの像を置いたのが騒動の始まりである。

一九八〇年代には、ヒンドゥー至上主義のさまざまな団体を総称するサング・パリヴァール（組織の家族）の主要団体である世界ヒンドゥー協会（VHP）が、アヨーディヤの土地をムスリムから奪回し、ラーマ寺院を再建しようという運動を開始する。

やはりサング・パリヴァールの政治機関であるインド人民党（BJP）のベテラン政治家L・K・アードヴァーニは、一九九〇年にインド各地でアヨーディヤへと向かう巡礼ツアーを組織し、ラーマ寺院再建運動への支持を煽《あお》った。一九九二年一二月には、サング・パリヴァールは一五万人の活動家たちをモスクの敷地に集結させた。集会で、アードヴァーニや、ヒンドゥー至上主義を支持するグルたちが演説する中、群衆たちは突如モスクを襲撃し始めた。現場にいた警察は、数で圧倒され制圧することもできず、モスクは数時間のうちに破壊された。この事件の後、インド各地では宗教対立による暴動が起こり、二〇〇〇人以上が死亡したとされる。

アヨーディヤのバーブリー・マスジッドの破壊は、独立後のインドにおいて政治の主流からは外れていたヒンドゥー・ナショナリズムが表舞台に出てきたことを象徴する事件であった。少数政党に過ぎなかったインド人民党は、アヨーディヤでの事件以降、顕著になっていったヒンドゥーとムスリム間の対立（コミュナル対立）を政治的に利用する形で、一九九六年に短期間ではあったが中央政権を取り、さらに一九九八年には地方政党などと連立を組み、再び政権に返り咲く。

二〇二一年現在インド首相であるナレンドラ・モディは、サング・パリヴァールの中心的団体である民族奉仕団（ＲＳＳ）の出身であり、彼の圧倒的なカリスマ性がインド人民党政権を支えている。低カースト出身でありながら、グジャラート州首相として外国企業誘致などでグジャラートをインドで最も豊かな州の一つにしたことから、インド全土でも同じことをやってくれるはずだと期待されている。

一方で二〇〇二年の反ムスリム暴動により二〇〇〇人以上のムスリムが殺されたとされる（ヒンドゥーにも死者は出ている）グジャラート暴動（グジャラート虐殺とも呼ばれる）の責任を、当時の州首相であったモディに問う声は今でも弱まっていない。州政府の役人や政治家、警察までもがさまざまな形でムスリムの殺害に協力したといわれ、研究者の中には「官製暴動」と呼ぶ人もいるほどだ。

今でこそ世界各地を回って国家元首らと席をともにするモディだが、二〇〇五年にはグジャラート暴動に関与したとしてアメリカ合衆国への入国ビザの発給が拒絶されている。ちなみに二〇二〇年、モディはアヨーディヤにラーマ寺院建設のための信託組織を設立することを発表した。ラーマ寺院再建は着実に実現へと向かっているのだ。

一九九〇年以降の三つのMを最もよく体現しているのはモディ自身かもしれない。新自由主義経済の波と低カーストの政治的勃興、そしてメインストリームに躍り出たヒンドゥー・ナショナリズム。この三つの潮流のまさに中心にいるのが四つ目のMともいえるモディだ。

三つのMが、三〇年経って四つ目につながったのだ。

第三章　月曜日のグル法廷

「俺、合法なんだってさ」

カルナータカ州中部チットラドゥルガ県のシリゲレという村にもう一〇年以上通っている。人口約四〇〇〇人、中規模の村であるシリゲレにはタララバール・マタという僧院があり、その現在のグルであるシヴァムールティ・シヴァーチャーリヤ師（ここではシリゲレ・グルと呼ぼう）が行っているさまざまな活動に関心を持ってきた。

シリゲレ・グルはバナーラス・ヒンドゥー大学の博士号を取得した後、オーストリアで研究していたこともある世界的に知られたサンスクリット学者だ。母語のカンナダ語に加え、私が知る限り少なくとも英語、ドイツ語、ヒンディー語を流暢《りゅうちょう》に操り、ヴァイオリンを嗜《たしな》み、パソコンがまだ一般的でなかった頃に僧院にたまたま来ていた情報学の専門家にプログラミングを習い、サンスクリット文法のソフトウェアまで開発してしまう。ただただ超人である。

「俺が一番やりたいのは、インド哲学の論文を書くことなんだけど、そんな時間全然ないよ」

とこぼすグルの日常は本当に忙しい。州都ベンガルールとシリゲレ村を頻繁に往復し、僧院にいる間にも地元政治家など有力者たちがひっきりなしに訪れる。年に一度はサンスクリット学の国際会議に出たいと言うが、それもここ数年はできていないようだ。

彼が今一番力を入れているのはニヤーヤ・ピータ（正義の座）と呼ばれるインフォーマルな仲裁法廷だ（以下、「グル法廷」と表記）。古くからカルナータカ州の僧院では、信者の間の揉め事を仲裁してきた。揉め事の仲裁は、伝統的な王権の重要な役割の一つであるとされ、地域社会において小さな王ともいえるグルやカースト・リーダーたちにとって、いかにうまく揉め事を解決できるかは、ある意味では彼らの権力の大きさを示すものだといえる。映画『サルカール（Sarkar）』（二〇〇五年）で、ボリウッドのスーパー・スター、アミターブ・バッチャンが演じたムンバイのボスは、腐敗した警察や政治家によって虐げられた弱者のために、時には暴力も厭《いと》わず、国家の法の外で任侠《にんきょう》を貫こうとする。インド版『ゴッドファーザー』ともいえるこの映画において、バッチャンが豪邸のベランダで被害者たちの話に耳を傾ける。これがまさに小さな王の姿であり、映画のタイトルが暗示するように、民衆のための「サルカール（政府）」である。

シリゲレ・グルの法廷は、ボリウッド映画で描かれるマフィアのボスのように暴力的では全くないが（シリゲレ・グルは刑事事件になるような暴力事件をそもそも扱わない）、それでも国家の法の外側で行われる正義であることには変わりない。なぜ人々は裁判所ではなくグルのもとに揉め事を持ち込むのか。これが、私がグル法廷を調査し始めた動機であった。

それまで不定期で場当たり的に行われていた仲裁を、シリゲレ・グルは二〇〇〇年代初頭より徐々に制度的に整えてきた。現在、持ち込まれた相談事には「訴訟番号」が振られ、グルの審問が行われた際には、そこで話されたことや決められたことがパソコンのデータベースに入力される。また揉め事を持ち込んだ人たちからの嘆願書やその他参考となる資料なども丁寧にファイルされる。データベースにはすでに四〇〇〇件以上の案件が登録されている。訴訟番号さえ分かれば、いつでもデータベースからこれまでの経緯を調べることができるようになった。グルは一日に大体四〇から五〇件くらいの揉め事を審問するが、ほとんどのケースは一度では解決せず、ケースによっては何年も継続しているものも少なくない。

グル法廷は農作業が休みになる毎週月曜日に行われる。法廷は、小学校と男子寄宿舎が入った石造りの巨大な建物の最上階にある。半円形にくり抜かれた窓からはシリゲレ村周辺のモロコシ畑が延々と見える。法廷の壁には扉のついた鉄製の重厚な本棚がぐるりと配置され、そこには宗教学の本などがびっしりと並べられている。グルが真ん中に座る長い木製の机の背後の棚には、これまでの案件をまとめたファイルが保管されている。棚の上には、グルが何かの式典の際にもらってきたらしい記念品やトロフィー、宗教的な像などが所狭しと置かれている。一見、宗教的な雰囲気を強めるための装飾のようにも見えるが、他に置き場がないというのがたぶん正解だ。

グルが座る席から向かって左側には普段は僧院の会計係をしている男性がファイルを管理し、グルが話したことをすぐにパソコンに入力できるように待機している。その日グルの審問が行われる予定の訴訟に関わる人たちの名前が呼び出される。審問が始まる前に全員が揃っているか確認するのは、近所の高校で教師をしている小柄な男性だ。

グル法廷は、時代劇に出てくる「お白洲」の現代版のようなものと考えると分かりやすいかもしれない。グルの前に関係者が呼ばれ、唯一の裁判官であるグルが双方の話を聞く。そしてグルの判決に皆の者が従うのである。グルのお白洲に弁護士はいない。出廷するの

シリゲレ・グルの活動の中心である仲裁法廷ニヤーヤ・ピータ。仲介人の男性（左）が嘆願人（中央手前）の訴えの内容をグルに説明しているところ。（著者撮影）

は嘆願書を出した側と、揉め事の相手方、そして両者の言い分をあらかじめ聞いたり、状況を事前に把握したりする仲介人と呼ばれる人たちである。大体五、六人の仲介人がグルから任命されているようだが、よく見かけるのはターシルダールと呼ばれる税金の管理などを行う役人だった男性と、郡レベルのパンチャーヤト（インド民主主義の下位レベルの議会）の長であった男性だ。元ターシルダールは土地問題担当、元パンチャーヤト・リーダーは政治担当というのが、彼ら自身が認識しているざっくりとした役割分担だ。

ここでシリゲレ・グルの信者母体である、サーダル・リンガーヤトについて簡単に説明しておきたい。リンガーヤトは一二世紀末にバサワという聖人によって始まったヒンドゥー教の宗派で、シヴァ神を唯一の神として信仰し、神と信者は帰依によって直接つながれると主張した。司祭階級のバラモンによって神へのアクセスや宗教知識が独占されることを批判し、カーストやジェンダー差別のない世界を作ろうとした。カルナータカ州北部を中心に大きな宗教運動となり信者を増やしたセクトであるが、現在では一つのカーストとなっている。カルナータカ州では人口が多く、土地持ちの裕福な農民カーストであり政治的影響力のある支配カーストだ。サーダル・リンガーヤトは、リンガーヤトの中では儀礼的に下位のサブ・カーストである。バサワの思想には反カースト制度という強い主張があったにもかかわらず、結局一つのカーストになってしまったこと、そして菜食主義者であることもあって、現在ではバラモンに次ぐ高位カーストのように振る舞っていることは、皮肉ではあるが、ある意味、インド的だ。

さて、朝一〇時頃になると、その日に審問が予定されている人たちが続々と集まってくる。いかにも村に住む農民という人が多いが、都会のミドルクラス風の人もいる。前方には女性が、そして後方には男性が、床に広げられたゴザの上に座るのが暗黙の了解になっている。法廷の窓際にはプラスチックの椅子が一〇脚ほどあるが、そこは足腰の不自由な老人専用だ。銃を抱えたボディーガード（実は州政府から派遣された警官）を一人同伴してグルがやってくる頃には、会場は人でいっぱいになる。

法廷には親が死んだ後の遺産分けをどうするかとか、親戚に貸していた土地を返して欲しいなどの揉め事が持ち込まれるが、そういう案件の合間に、いかにも地元の名士という風情の男性がグルに式典に来て欲しいと豪華な招待状を果物などの供物と一緒に持ってやってくる。グルはその招待状をチラリと見ると、法廷に集まっている人たちに聞こえるように大声で言う。

「なんで俺が一番お布施の集まらない地区の式典に出ないといけないわけ？」

大柄な男性は固まってしまい何も言えずにいる。

人々は自分たちの揉め事のことなどすっかり忘れてしまったかのように、大笑いして喝采する。

男性はなんとか、

「来年にはもう少し集めますので、今回はどうかお願いできれば」

と絞り出す。グルは何も答えず、もう帰れと手で指示する。

グル法廷は単に揉め事が裁かれる場所ではなく、こうしたグルのパフォーマンスを見られる劇場でもある。ここからグルは地元の有力者や警察、政治家などにガンガン直接電話し、問題解決を頼んだり圧力をかけたりする。それを逐一見物できるのはなんとも楽しい。

グル法廷のようなインフォーマルな仲裁の人気があるのは、それが「速く、安く、効果が高い」からだとよく説明される。インドの公的な裁判所は、訴訟の多さに対応しきれておらず、訴え出ても判決が出るまでに何年も待たされることが普通だ。また訴訟が長引けば長引くほど弁護士に支払う金額も上昇し、無駄に金を使わなければならない。そして判決が出たところで問題が本当には解決されないことも多い。逆にグル法廷では、ちょっとしたお布施以外は全く無料で、弁護士を雇う必要もない。また訴えから一回目の審問まで、通常数週間しかかからない。そして地元で圧倒的な影響力を持つグルの決定であれば、多少不満はあっても、皆大人しく従うのである。

だが、グル法廷の人気の理由はこれだけではない。国の正式な裁判所では取り扱えない案件がここに持ち込まれているのだ。

例えば、よく持ち込まれる揉め事の一つに「重婚」がある。当初はこの言葉を聞いて、二人の女性と同時に結婚することかと思ったが、それは正確ではない。多くの場合は一人目の妻と何らかの原因でうまくいかなくなった際に、二人目の妻と宗教的な婚姻儀礼を行い事実婚に入ることをいう。グル法廷に持ち込まれるケースでは、一人目の妻の側——通常彼女の父親か兄が同行する——が、正式な離婚ではなく、土地や建物などの資産の生前贈与や慰謝料を要求することが多い。農民カーストのリンガーヤトの間では、離婚した女性が再婚できる可能性はほとんどなく、また離婚に伴う法的に決められた慰謝料などはごくわずかだから離婚することにほとんど利点はない。そうすると一人目の妻は「妻」という社会的地位を維持したまま、経済的な安定を得るという解決法を望むのだ。

シリゲレ・グル自身は、重婚という習慣をよく思っていないし、夫と離婚したり死別したりした女性たちが再婚できるように、折に触れて信者たちを説得しようとしているが、彼らは全く意に介さない。さらに恐ろしいことに、重婚に至る期間が短くなっているようなのだ。以前であれば最初の結婚から一〇年以上経ってから二番目の結婚がなされていたが、最近では数年以内というケースも増えている。

最も印象に残っている重婚のケースがある。その女性は背が高く顔立ちのはっきりとした女性で、ようやく歩き出した年齢の可愛《かわい》らしい男の子を連れていた。出産のため実家に戻ったが、夫からの連絡が途絶えてしまったので、グルから様子を聞き出して欲しいというのが訴えの内容だった。グルは彼女の夫が住む村をよく知っている仲介人を呼び、事情を調べるように言うと、仲介人の男性はすぐに電話をかけ始めた。その後グルに何事か耳打ちした。グルの顔がこわばっていくのが分かった。仲介人が、彼女に同行していた彼女の父に、夫がすでに二度目の「結婚」をしてしまったことを告げた。女性は呆然と立ちすくみ、父親はその場で泣き崩れてしまった。グルは何度も何度も「なぜもっと早く俺のところに来なかったんだ！」と嘆いた。二度目の「結婚」が成立する前であれば、なんとか彼女と夫の仲を取り持つことができたかもしれないからだ。

農村では、教育を受け、かつ安定した職についている若い男性は貴重な存在である。貴重だからこそ、法的には認められていない二番目の「妻」だとしても、持参金（ダウリー）付きで娘を差し出す親は後をたたない。この不幸な女性のようにちょっと気を許していると、妻の座はあっという間に奪われるのだ。すぐに議論は、彼女と子供への経済的補償をどうするかという内容へと移っていった。その間、その美しい人は一言も発しなかった。

裁判所は近代国家の法に依拠しているため、こうした法的にはグレーゾーンの揉め事に対処することができない。離婚させて二番目の結婚を正式なものとするか、離婚させずに二番目の結婚を違法とするか、どちらかの解決方法しか、裁判所は取ることができない。だから残酷な現実の中で、それでも最善の解決策を見つけるとしたら、人はグルの元を訪れるしかないのだろう。逆にいえば、グルの法廷は、既存の法の外にあることで、ある種のモラルが立ち現れる場だといえるかもしれない。あの美しい人の傷が完全に癒えることはないとしても。

もう一つ、グルがやっていることで重要なのは（これはグル自身から論文にちゃんと書くようにと指示されている）、女性に慰謝料が支払われた際に、それを女性に直接渡してしまうと女性の親や兄弟が金を奪ってしまうことが多いので、金は僧院が指定した女性名義の口座に振り込ませていることだ。女性が口座から金を下ろす際にはグルの許可を取る必要がある。こうしたやり方を取ることで、当事者である女性にのみ金が行くようにしているのだ。ここまでのケアを政府が行うことはできないだろう。

いつものように長い月曜日が終わった後、シリゲレ・グルが私を呼んだ。延々とさまざまな揉め事を聞いてきて私はヘトヘトだが、この超人にはまだエネルギーがあるらしい。グルは突然こう言い出した。

「これまで俺の活動はさ、国の法律とか制度とは全然関係ないものだと思っていたんだよね。法の外で活動していると思っていたわけ。でも実は俺が法廷でやっていること、合法なんだって」

法律の外にあることこそが、彼の法廷の存在意義だと思っていた私も驚いた。

州政府が定めた仲裁に関する法律によると、揉め事に関わった人たちの同意があれば、彼らが指名した仲裁者による決定は法的な効力を持つのだという。これを地元の裁判官から聞いたグルはさっそく新しいやり方を導入した。それ以降、グルの審問の際には訴えた方も訴えられた方もグルの決定に同意するという書類にサインすることになった。

また最近では、グルの決定に不満を持つ側が地元の裁判所に訴え出るのに先手を打つために、仲の良い裁判官に手を回して、グルの決定と同じ決定を地方裁判所でも出してもらうことまでしている。グル法廷と国家とは対立しているようで、実は支え合っているともいえるのだ。

権力の結節点としてのグル

ある日、シリゲレ・グルのお世話をするスタッフたちと朝食を食べていると、グルに呼び出された。

「近くの村で祭りがあるから、君も来なさい。ランバーニの村だから面白いんじゃない？ランバーニの祭り、見たことないでしょ」

こちらの研究のことまで考えてくださるありがたいお言葉。もちろん参ります。

その日の午後、いつものようにグルの取り巻きの一人として、ランバーニの祭りに参加した。ランバーニは、ランバーディあるいはバンジャーラとも呼ばれる、元々はインド北西部のラジャスターン州出身とされる遊牧民だが、現在はインド各地で定住生活をしている人が多い。経済的・教育的レベルは低く、指定部族として留保制度の対象でもある。シリゲレ村の周囲でもランバーニの村がいくつかあり、リンガーヤトや他のカーストと同じように農業に従事している。彼らがいつからカルナータカ州中部まで南下し、定住生活を始めたのか定かではないが、少なくともこの地域ではすでに数世代は経っているようだ。

ランバーニの村を訪れるシリゲレ・グル。グルの権威を象徴する傘などのシンボルとともに村の中を行幸する。（著者撮影）

　元々ランバーニの女性たちは色とりどりの刺繡《ししゅう》をたっぷり施した衣装とやはりカラフルなビーズと銀で作られた装飾品をま

とうことで有名だが、若い女の子たちはこの伝統衣装を恥ずかしく思っているらしい。確かに普段の服装は他のカーストと全く変わりなく、カンナダ語で教育を受けている彼女たちにとっては、祭りでランバーニの衣装を着るのは自分たちを地域社会から否《いや》でも応でも異化させてしまうと感じられるのだろう。そんなことを事前にグルから聞いていたので、祭りの中で未婚の女性たちが、かつて貝貨として使われたタカラガイとミラーワークと呼ばれる鏡をふんだんに埋め込んだ真っ赤な伝統衣装を着て、頭に豊穣《ほうじょう》を意味する小麦の苗を入れた籠を載せて行列の先頭を歩いている姿はどことなく照れ臭そうに見えた。若い女性たちの中にシリゲレの高校に通っている顔見知りの女の子を見つけたが、彼女は「あー、見つかっちゃった」という顔をした。

　祭りの儀礼が一通り終わると、次は式典である。その始まりを待っている間に日はすっかり暮れてしまった。式典が始まると、お偉いさんたちの挨拶の後、順番が私に回ってきた。

「みんなが喜ぶからカンナダ語で挨拶して。内容は適当で」

とグルから言われていたが、さて何を話そうか。日本語でスピーチするのだって嫌なのに、いわんやカンナダ語。私はとりあえず、「今日はあなたたちの素晴らしい文化を見せていただきました。感謝申し上げます。とても心が動かされました。どうぞその文化を誇りに思ってください。自分たちの文化に誇りを持つことは、これからの人生において、あなた方を支えてくれるでしょう」などと顔見知りの女の子のことを考えながら、当たり障りのない言葉でお茶を濁した。

外国人の女がカンナダ語を喋るということだけで観客は大喜びなので、前座としての務めは十分だ。さて、グルはどんなありがたいお話をしてくれるのかと観客とともに期待していたら、見事に裏切られた。

グルはいきなりこう切り出した。

「お前たち、今一番必要なのは何だ。上水道を通そうぜ。パイプでこの村まで飲み水を持ってくるんだ。バスはどうだ。この村までバスは通ってないだろう。シリゲレ村まで行かないとバスに乗れないのか？　バスも必要だな。他に何か欲しいものはあるか？」

いつもはカンナダ語の有力新聞で毎週水曜日に執筆しているコラムに書いたことを紹介したりするのだが、その日のグルはいつになく単刀直入だった。だがこれこそ、シリゲレ・グルがやりたいことなのだ。儀礼や祭りなど実は二の次。農村の物質的な生活レベルを上げること。まずはそこからだ。

式典の後、主賓の一人だった老人と話をすることができた。彼はこの村の出身で、州政府の高官を務めた人だった。こんな片田舎の貧しい村から、しかも遊牧民の出身で、よくそこまで出世したものだと心底感心した。

「ランバーニが、リンガーヤトの僧院のグルとこんなに関係が深いことに驚きました」

そう話しかけると、彼は、

「最近は我々（のカースト）も僧院とグルを打ち立てたので（前章の洗濯屋カーストと同様だ）、シリゲレの僧院にはあまり行かなくなったけど、昔は本当に世話になってねえ」

と語り出した。

「かつてこの村はひどく貧しくて、我々は食うや食わずの生活をしていたんだ。それで密造酒を造ってなんとかしのいでいたのだが、見つかってしまって、村の男たち十数人が逮捕されてしまった。陳情やら裁判やらでベンガルール市に行かなくてはならなかったのだが、そんな金はもちろんなくてさ。そんな時に先代のグルが貸切バスを用意してくれて。

ベンガルールで泊まる費用も弁護士を雇う費用も何から何まで出してくれた。あの時は本当にありがたかったねえ。だから、今でもシリゲレのグルには忠誠心を持っているよ」

老人の話を聞きながら、その当時のことを覚えている人たちは何度も何度も深くうなずき、数人は涙を浮かべていた。

先代のグル、シヴァクマーラ師は一九九二年に亡くなったので、私は会う機会がなかったが、彼を知っている人に話を聞く限り、かなり型破りな人物であったことが分かる。近隣の村の老人に先代のグルについて聞くと、こんな話をしてくれた。

「当時はさ、女の子に教育を受けさせようなんて発想は誰にもなかったんだよ。でも先代のグルは女の子も学校に通わせろって絶対に譲らなかったねえ。村々を回ってさ。まあグルが来るから皆集まるじゃないか、その時にね、紙に無理やりそれぞれの家の女の子たちの名前を書かせてさ。全員が書いた後に、ここに名前のある女の子は全員学校に入れるようにって言うわけ。次に来て確かめるからなって。もう脅しだよ、脅し」

グルに脅されて女の子にも教育を与えたことをもちろん彼は後悔していない。先代のグルのおかげで、サーダル・リンガーヤトは急速に教育レベルを上げ、より儀礼的地位の高い他のリンガーヤトと対抗できる地位に上りつめたのだから。

別のエピソードもある。教えてくれたのは、かつてシリゲレにある高校で校長をしていた男性で、彼自身シリゲレの寄宿学校で教育を受けた。先代のグルの方針で、寄宿学校にはリンガーヤトだけでなく、さまざまなカースト出身の学生が学んでいた。ある日彼の両親が寄宿学校にはダリトの学生もいることを聞きつけて、グルになんとかしてくれないかと訴え出た。学生たちは順番で給食当番もしていたが、リンガーヤトの息子に（不浄がうつるので）ダリトの学生が配る食事を摂らせるわけにはいかないと言ったのだ。それを聞いて先代のグルは烈火の如《ごと》く怒ったらしい。そして、「そんなことが気になるなら息子は退学だ。そいつを連れて村へ帰れ！」と怒鳴りつけたという。当時まともな教育を受けられる場所は近くにはなかったので、両親は諦めてすごすごと村に戻ったという。

先代のグルの強引さと粘り強さを伝える有名な話がある。現在のカルナータカ州中部出身のS・ニジャリンガッパという超大物政治家がいた。シリゲレ村からそれほど遠くないチットラドゥルガの町で弁護士をしていた彼は反植民地運動に参加し、独立後はカルナータカ州で国民会議派をまとめ上げ、州首相を二度も務めた。州政治だけでなく、中央政治においても有能さを発揮した。初代首相ネルーの影響力が弱まる中、密かに「シンジケート（秘密結社）」と呼ばれた有力政治家グループのリーダーの一人として、陰で国民会議派を操っていたといわれるほどだ。一九六九年にそれまで結束を誇っていた国民会議派が分裂したが、その際にネルーの娘インディラ・ガーンディーと対立したのも当時党首だったニジャリンガッパだ。

そのニジャリンガッパが一度だけ選挙で落選したことがある。何もしなくても勝てると思われていた一九六二年の下院選挙で、ほぼ無名の社会主義者の候補者に大差で敗れたのである。ニジャリンガッパ自身はその後補欠選挙で別の選挙区から当選するが、彼ほどの大物政治家が落選したことの衝撃は大きかった。その時の選挙では国民会議派自体は圧勝していたのだから彼の落選は首都デリーから見れば全く不可解なことだっただろう。そのほぼ不可能なことを可能にしたのが、シリゲレの先代グルだった。

ニジャリンガッパ自身がのちに回顧した話によると、ニジャリンガッパに対してなぜか敵対心を持っていた先代のシリゲレ・グルは、選挙区の村々を訪れ、信者の家を一軒一軒回り、ニジャリンガッパに投票しないよう村人を説得したのだという。典型的なドブ板選挙を、候補者でもないのにやってのけたのだ。なぜそこまでニジャリンガッパを毛嫌いしたのかは分からない。ニジャリンガッパもリンガーヤトだが、彼はバナジガ・リンガーヤトという上位カーストで裕福な土地持ち農家の出身だ。サーダル・リンガーヤトはバナジガ・リンガーヤトなどから長い間低くみなされ馬鹿にされてきた。貧困農民だったサーダル・リンガーヤトが大土地所有者のバナジガ・リンガーヤトから不当に搾取されていると感じることも多かっただろう。そうした積年の恨みが先代グルを動かしたのかもしれない。

いずれにせよ、インド全体からみれば全く無名の宗教リーダーでも、本気を出せば国政選挙の結果を左右できることを証明してみせたのだ。だからこそ、地域社会で影響力のあるグルたちに表立って対立する政治家は誰もいない。

シリゲレの先代グルがサーダル・リンガーヤトの僧院のトップに立ったのは、まだ彼が二〇代の頃であった。それは僧院の歴史で最も忌まわしい事件に起因する。

一九三八年八月一一日、当時のシリゲレ僧院のグル、デーシケーンドラ師は、ダヴァンゲレの町からシリゲレ村に帰ってきた。疲れて喉が渇いたグルは、水を持ってくるように命じた。出てきたのはバターミルク（牛乳やヨーグルトからバターを作る際の上澄み液）だった。

このバターミルクに毒が盛られており、グルはその場で息絶えた。グルを殺したのは、同じ系列の僧院の別のグルたちだった。デーシケーンドラ師が死ねば自分たちがトップにつけると思ったのかもしれない。いずれにせよ、彼らは怒り狂った信者たちから殴る蹴るの暴行を受けたらしい。殺人を犯したとはいえ、出家人・世捨て人であるグルたちを殺すことは宗教的に許されないので、カースト・リーダーたちが間に入り、殺人を犯したグルたちは追放された（どうやら彼らは法によって裁かれることもなかったようだ）。

この時、次のグルとなるシヴァクマーラ師は、シリゲレ僧院の傘下にあるハサン県のエランカ僧院にいたが、デーシケーンドラ師が殺されたニュースを聞いてシリゲレに駆けつけた。現シリゲレ・グルは、先代グルが残した日記から当時のことを抜粋して紹介している（『サンカルパ』一九九一年、筆者訳）。

あなたは僕をとても大切に扱ってくれました。でももう何もない。僕一人だけでなく、このコミュニティー全体がただ虚《むな》しく残されてしまった。僕らの将来の夢はすべて消えてしまった。これから僕は誰をグルデーヴァ（グルへの敬愛を込めた呼称）と呼べばいいのですか？　これから誰に感謝の気持ちを表したらいいのですか？　誰から愛情を受けたらいいのですか？　あなたの笑顔がまだ僕の眼前にあります。あなたは師匠であり、家族であり、そして友人です。でもなぜあなたはこんなにも早く逝ってしまったのか。僕らは不幸です。あなたは社会の光です。（あなたなしで）未来には一体何が起きるのでしょうか？　僕は本当に悲しい。この悲しみからどうやって立ち直ることができるだろうか？

ああ、グルデーヴァ、グルデーヴァ、グルデーヴァ。

大好きだったグルを突然失い、悲しみに打ちひしがれる心優しきシヴァクマーラ青年は、殺人事件で総本山のグルを失った僧院のトップに任命された。彼は、僧院の立て直しを行っただけでなく、サーダル・リンガーヤトのカーストがいくつかの僧院に分裂してしまっていたことを反省し、シリゲレ僧院を頂点とした僧院の連合体を作ることでサーダル・リンガーヤトのコミュニティーを統一することに成功した。その後は先に紹介したように、教育、特に女子教育に力を入れ、カースト差別をなくすよう努力した。信者たちにも知られていなかった聖人バサワや彼の元に集まった吟遊詩人たちの革命的な詩を歌にしたり劇にしたりして普及活動を行った。先代のグルは中世南インドのカースト批判、バラモン中心主義批判の精神を二〇世紀においてもう一度大衆文化の中に甦《よみがえ》らせたのだ。

そして、信者たちを怒鳴り散らすグルに成長し、大物政治家を選挙で蹴り落とすまでになった。彼は明らかに信者たちの一歩も二歩も先を見ていた。こうしたグルを選べるかどうかに、信者コミュニティー（それはカースト・コミュニティーとほぼ一致する）の将来はかかっている。彼は生きるためにギリギリの生活をしていた人たちに教育の重要さを伝え、学校を作り、村人を脅して無理やり女の子を学校に通わせた。そして人口四〇〇〇人程度のシリゲレ村は巨大な教育拠点となり、現在では村の人口を超える約六〇〇〇人の生徒たちが学んでいる。僧院が運営する教育施設は近隣の県にも広がり、幼稚園から技術系大学まで、その数は一七二にものぼる。

先代のシヴァクマーラ師が行った革新的なことがもう一つある。それは「引退」である。通常、グルの代替わりは先代グルが死ななければ行われない（だからこそ時折「グル殺し」が起こるともいえる）。だがシヴァクマーラ師は一九七九年に引退を宣言、驚く信者たちを無視して、現グルのシヴァムールティ師を次のグルに指名すると、自分はシリゲレ近くの村にさっさと隠居してしまった。そして、まだ若かったシヴァムールティ師にヴァーラーナシーやヨーロッパで研鑽《けんさん》を積むことを勧め、村落社会を超えた世界観を持つ次世代のグルにバトンを渡したのだ。隠居しても村人たちの相談に乗るなど、相変わらずグルとしての仕事はしていたようではあるが、表舞台からは一切身を引いてしまった。

先述した元校長先生に聞いたことがある。

「先代のグルは相当に怖い人だったみたいですけど」

「怖かったねえ。でもグルは怖くなくちゃね。怖いのは絶対に必要なことだよ」

現グルのシヴァムールティ・シヴァーチャーリヤ師が、村人たちから圧倒的な信頼を得てインフォーマルな仲裁法廷を成功させている背景には、彼自身の類いまれな能力に加えて、先代グルが作り上げた僧院への信頼とそこから生じる権力があるのだ。

舗装道路と使われないトイレ

前述したように、シリゲレ・グルの法廷に持ち込まれるのは、信者母体であるサーダル・リンガーヤトの家族内の揉め事がほとんどである。だが他のカーストを巻き込んだ揉め事もグルの法廷に時々持ち込まれる。私はこうしたケースに関心を持っているが、それはシリゲレ・グルの力がカースト集団を超えるのかどうかを見極めたいからだ。

複数の村、そして地元の鉱山会社を巻き込んだケースを紹介したい。

シリゲレ村から数キロのところに小高い丘がある。この丘から鉄鉱石が採れることが分かり、一九八〇年代から現在まで三つの小さな鉱山会社が採掘作業を行っている（そのうち二つは、ここ数年のうちに多国籍企業に買収されてしまった）。中国の急速な経済発展と未曽有の建設ブームに伴って鉄鉱石の国際価格は大きく上昇し、シリゲレ村のような辺境の農村地域にも大きな変化をもたらした。土地を持たない低カーストの青年たちが金を出し合ったり借金をしたりしてトラックを買い、鉱山から採掘された鉄鉱石を鉄道の駅まで運ぶ仕事を始めたのだ。鉄鉱石は貨物列車で沿岸部まで輸送され、そこから中国へ輸出されていた。一時は鉱山の手前で順番を待つトラックが何十台も連なっていたほどだ。

商業目的でトラックを運転するには特別な免許が必要で、それを得るには少なくとも一〇年の運転経験が必要ということだが、トラックに乗っている若者はどう見ても一〇代後半、せいぜい二〇代半ばぐらいだろうか。いつも調査に同行してくれる運転手で友人でもあるスレーシュは法律をきっちり守ることに誇りを持っており、どうみても彼らのほとんどは正式の免許を持っていないし、こんな危険なことが許されているのは納得がいかないと怒り心頭だ。だが、教育もコネもない若者たちにとって、こんなおいしい機会を見逃す手はない。

カルナータカ州では特に隣接するアーンドラ・プラデーシュ州との州境で鉄鉱石の違法な採掘が大規模に行われ、風景が一変してしまうほど自然環境が破壊された。採掘から得られた巨額の金は、鉱山マフィアを生み出し、彼らは金を利用して政治の中枢にまで入り込んだ。南インドで初めて、ヒンドゥー至上主義政党のインド人民党がカルナータカ州において支持を伸ばした背景には、こうした鉱山マフィアと手を結び、対抗する議員たちを巨額の金で買収することに成功したことがあるといわれている。

鉱山マフィアが支配する地域に比べれば、ずっと大人しい話だが、シリゲレ村周辺でも、鉱山会社と村人たちの関係には常に緊張感が伴っている。村人たちは、鉱山会社は不当に金を儲《もう》けており、もっと地元にその金を還元すべきだと思っている。

鉱山会社と鉱山の周辺の村々との間で最初の揉め事が起きたのは、二〇〇三年六月のことである。シリゲレ・グルに解決を依頼してきたのは、村人たちではなく、三つの鉱山会社の方だった。ここから「訴訟番号三九八／二〇〇三」の裁判が始まる。以降、鉱山会社と村人たちとの交渉はすべてこの訴訟番号で行われており、現在でもほぼ毎週のようにこの番号のファイルが引っ張り出されている。

鉱山会社がはじめに提出した嘆願書によると、村人たちは鉱山から鉄道の駅までの一本道をトラックが通れないように二週間以上封鎖してしまったという。会社側は村人にさまざまな形で補償金を支払ってきたにもかかわらず、いまだに不満を持つ村人たちが採掘を妨害していると主張した。過去にも巨大な女神の絵や先代のシリゲレ・グルの写真を掲げて私設の関所を作り、そこを通過せざるをえないトラックの運転手から、寺院や僧院に寄付するという名目で通行料を取ったりしたこともあったらしい。しかし道路が完全に封鎖されてしまうと、採掘作業は続けられず、鉱山会社の損害は大きくなるばかりであった。

グルはまず周辺の三村からの代表者を召喚し、それぞれに鉱山会社への不満と要求を整理して書面にしてグル法廷に提出するように指示した。そして、鉱山会社との交渉をグルが仲介して始めるので、道路の封鎖を即座に解除するよう命令した。翌七月に村人たちから、道路脇にU形の側溝を建設すること、学校と結婚式場の建設、鉄道の駅の名前をシリゲレ僧院の名称である「タララバール駅」に変更するようにインド中央政府に掛け合うこと、シリゲレ村の交差点から駅に直結する新しい道路を建設すること、毎月第一月曜日に鉱山会社はグル法廷に進行状況を報告すること、トラックは朝六時から夜九時までの走行とし、それを破ったトラックは村人によって停止させられ村の代表者に報告されること、トラックから鉄鉱石が飛び散らないように防水シートをかけること、故障したトラックが道路脇に停車できるのは一日を限度とすることなどの要求が出され、それらはすべて鉱山会社によって受け入れられた。

二〇一三年八月に私がシリゲレを訪れた時は、鉱山から鉄道の駅までの道を舗装することが議論されていた。この段階で鉄道の駅の名前は「サーサル」のままだったし、村の交差点と駅を直結する道が建設される気配も感じられなかった。一〇年前の約束はほとんど実現されていないようだったが、村人たちは少なくとも道路側の畑の作物（特にこの地域名産のバナナへの被害が大きい）がトラックからこぼれ落ちる鉄鉱石を含んだ赤い土でダメージを受けることへの補償金は受け取っているらしい。当時、駅までの一本道で子供たちの通学路でもあった道は、モンスーンの雨もあってひどくぬかるんでいた。鉄鉱石を含んだ土を目一杯積んだトラックが猛スピードで走るので、状況は極めて危険だった。

周辺の村人たちと鉱山会社の社員たちはグルの助けを求めて、近くの学校のホールで集会を開くという。グルは朝から少し離れた村の信者の家を回って、信者がグルの足に祈りを捧《ささ》げるパーダプージャと呼ばれる儀礼を行っていた。これを行えるのは僧院に多額のお布施をするお金持ち信者に限られるので、僧院としてはお布施の額を増やすためにもこの儀礼を定期的に行って欲しいようだが、グルは単なる時間の無駄だと思っている。

儀礼ばかりですっかり機嫌が悪くなっていたグルの後をついて学校のホールに着くと、

そこには男性ばかり二〇〇人以上が集まっていた。鉱山会社の制服を着た男性二人がグルに状況を説明する。鉱山会社と村人たちの間で道路の舗装をすることで同意が得られていること、舗装工事に必要な費用はすでに村の開発事業用の口座に振り込まれていること、工事の入札も済み、建設会社も決まっているという。だが、州政府からの許可が下りないため、工事が始められないという。彼らはすでに五ヶ月も許可が下りるのを待っていた。許可が下りないのは州政府のさまざまな部署の役人たちがワイロを期待しているためである。物事がスムーズに進んでしまってはいただけるものもいただけない。

グルは一通り説明を聞くと、携帯電話を取り出してどこかに電話をかけ始めた。

声がよく聞き取れない。

「一週間でなんとかして」

とだけ聞こえる。

通話を終えるとグルが皆に説明し始めた。州政府の大臣と話をしたこと。一週間以内に許可を下ろしてもらえるように頼んだという。

許可はあっさり三日後に下りた。

私は州政府の大臣を動かせるグルの影響力については理解していたつもりだったが、驚いたのは、当時の州政府はグルがそれまで支持してきたインド人民党ではなく、国民会議派だったことだ。政権交代はわずか数ヶ月前に起こったばかりだ。この短期間でどうやって一新した政治ネットワークに食い込むことができたのか。

それを説明してくれるのは、映画スターや政治家のスキャンダル報道が得意なタブロイド紙『ガウリー・ランケーシュ・パトリケ』（「パトリケ」は新聞を意味する）だ。カリスマ的な作家でジャーナリストであり、演劇人でもあったP・ランケーシュが始めた『ランケーシュ・パトリケ』から派生した権力の闇を暴く大衆向けの週刊新聞で、ランケーシュの死後、長女ガウリーにその精神が受け継がれた（元々の『ランケーシュ・パトリケ』はガウリーの弟が継承）。残念ながらガウリーはヒンドゥー至上主義者によって二〇一七年九月にベンガルールの自宅の前で暗殺されてしまった。ちなみにグルは私がこうしたタブロイド紙を頻繁に引用するのを好ましく思っていない。

「そんなゴミ新聞を読むんじゃないよ」と強く言われている。

そのゴミ新聞によると、元々州政府で働いていた技術系公務員で後に建設業者となったシャンムカッパなる輩《やから》は、二〇〇八年にインド人民党に入党する。ここで党とリンガーヤト系僧院との関係作りに奔走し、チェンドラッパという政治家をシリゲレ僧院がある選挙区から州議会議員に当選させる。この働きが人民党に認められたシャンムカッパは、利益の上がる建設プロジェクトをいくつか任された他、ベンガルール国際空港の社長に任命される。だが二〇一三年初頭、州内でのインド人民党の内輪揉めに巻き込まれたチェンドラッパが再選しそうにないことを見越すと、シャンムカッパはさっさとインド国民会議派へと鞍替《くらが》えする。そして国民会議派から立候補したアーンジャネーヤというダリト出身の政治家をシリゲレ僧院は支持することに決める。そして五月の州議会選挙でアーンジャネーヤは当選し、州政府はインド人民党から国民会議派へと政権移行した（『ガウリー・ランケーシュ・パトリケ』二〇一三年八月二八日）。

八月に学校のホールからグルが電話をかけた相手は、当時カルナータカ州の社会福祉担当の大臣だったアーンジャネーヤだった。

グルが農村社会の生活レベルを向上させるためには、こうした政治と金の世界にもしっかりと気を配り、巧みにネットワークを築かなくてはならない。その時にはシャンムカッパのような怪しげな人物をも上手に使いこなすことが肝心なのだ。

二〇一四年六月、私は初めて鉱山を訪れた。鉱山マフィアのスキャンダルや環境破壊への批判が高まっており、鉱山側は見学者を受け入れることにピリピリしていた。鉱山での写真撮影は一切禁止された。順番待ちをする、色とりどりの装飾が施されたトラックの列を脇目に、登り坂を進んでいくと鉱山への入り口があった。そこでヘルメットを渡されて、スレーシュの運転する車から鉱山会社所有のトラックに乗り換えるよう指示され、いよいよ鉱山に入る。しばらく走ると目の前に広がっていたのは巨大なすり鉢状の穴である。すり鉢の上端から下をのぞき込むと、ショベルカーがトラックに赤い土を積むのが豆粒のように見える。トラックはその後、最寄りの鉄道駅まで土を運んでいくのだ。大勢の人が働く昔の鉱山のイメージを持っていた私はその光景に拍子抜けしてしまった。ほとんど人は見えず、広大な空間の中でショベルカーとトラックが忙しそうに走り回っているだけだった。

鉱山を見学した後、鉱山会社の担当者たちから、いかに会社が環境に配慮し、周辺の村々への社会貢献を行っているのかをパワーポイントのプレゼンテーションで説明された。国が定めた基準では、鉱山活動はあらかじめ認可されたエリアを越えてはいけないと決められているが、その計測には二％までは誤差として容認されているらしい。この鉱山ではその二％を超えたことが一度もないと胸を張られた。

最近代替わりした社長は、ＣＳＲ（Corporate Social Responsibility：企業の社会的責任）に熱心なのだという。インドでは二〇一四年以降、純利益の少なくとも二％をＣＳＲに貢献するように法律で定められているが、若い社長はそれを積極的に先取りしているようだ。担当者が私に村でのＣＳＲの実情を見せてくれるという。

彼らが村にＣＳＲの一環として始めた事業はいくつかあるが、一番人気なのは、村人たちがなぜか「救急車」と呼ぶバンだ。これは医師だと村人たちが思っている男性（実際に持っているのは看護師資格）が村々を回って、血圧など簡単な健康チェックをしてくれるサービスである。村人はこのサービスを利用するのに一回一ルピー支払うが、これは後でまとめて地元の寺院に寄付される。このやり方も人気の一因らしい。それから型落ちのパソコンが地元の学校に寄付され、放課後、鉱山会社で働いている人たちが来て使い方を生徒

村の家々の前に建てられた誰も使わないトイレ。（著者撮影）

たちに教えてくれるという。村の女子高生と話したが、彼女はこれがとてもありがたいと言っていた。

おそらく、若社長が最も気合を入れ、誇りに思っているのは、村にトイレを作ったことだろう。インドには裏の裏があると、普段から疑い深い私もなぜかこれにはときめいてしまった。夜に用を足すために女の子たちが離れた場所まで行かなくてはならず、それで性犯罪に巻き込まれたりする事件があることを報道で知っていたからかもしれない。訪れた村では、道を挟んでそれぞれの家の前にコンクリートブロックで建てられたトイレが

並んでいた。私は話をしてくれた女子高生に、

「トイレができて良かったわねえ」

と話しかけた。彼女は少し困った風に、

「そうですね」

と言ったが、興奮していた私は彼女がすぐ目を逸《そ》らしたことを気に留めなかった。

一通りCSRの実情を見せてもらって、鉱山会社の担当者に感謝した後、私は僧院への帰途についた。すると車の中で運転手のスレーシュが一言。

「マダム、あのトイレ、誰も使っていないの、気づきましたか?」

「……」

やってしまった。

私は何年インドの研究をしているのだ。

村のど真ん中で、しかも自分の家の前で用を足したら、その「不浄の塊」を誰が取り除くのか? 下水道どころか上水道も通っていないところで、「不浄の塊」はずっとそこにあり続けることになる。そんなところで用を足せるわけがない。

それを研究者の私でもうっかり理解し損ねたし、おそらく都会育ちで村の生活を知らない若社長は知る由もないだろう。

シリゲレ・グルだったら？　もちろんこんな馬鹿なミスはしない。

世捨て人のパラドックス

なぜシリゲレ・グルのような宗教リーダーがこれほどまでの力を持てるのか？　それを単にインド人が信心深いからなどといっては本質を見失ってしまうだろう。そもそも何をもって信心というのか、いまだに私にはよく分からない。

シリゲレのタラバール僧院のような伝統のある僧院のグルたちは皆サンニヤーシと呼ばれる現世放棄者（出家者）である。現世放棄者とは、妻帯して家族を持つことや物質的な欲望を放棄した世捨て人だ。古来よりインドでは、現世放棄者は王や司祭と並んで特別な力を持つ存在である。政治経済的な権力を持つ王、儀礼的権威の頂点である司祭、そして相互依存の世界から自らを切り離すことによって超越的な存在となる現世放棄者。その三者の中でも現世放棄者は、親族関係を断ち切ることによって、誰に対しても公平な立場に立てると信じられている。第一章でみたように、インドでは家族を中心とした相互依存関係から離れて生きていくことは困難だ。だからこそ、その関係を断絶することは「社会的な死」であり、それと引き換えに世捨て人は世界全体と特別な関係を結ぶ。シリゲレ僧院系列の僧院のあるグルは、それを「(現世放棄によって)社会全体と家族になる」と表現した。

親族関係、そしてその延長にあるカーストから離れることによって「公平性」という立場が保障されるグル。だが彼らとカーストの関係は矛盾に満ちている。出身カーストがグルの信者母体であり、そのカーストのために働くことが期待されている。しかし彼らが単に「カースト・グル」と思われてしまっては、彼らの「公平性」に傷がつく。だからシリゲレ・グルのような有能なグルは、常に出身カーストを超えた社会全体の公平性を見据えている。だが、これには難しい舵取《かじと》りが求められる。

もう一つ、グルの威信を支える思想がある。「社会的な死」を経たグルは「腐敗しない」というのだ。インドでは政治家や企業家が汚職まみれになることはむしろ当たり前と思われている節がある。子供がいれば、彼ら・彼女らに財産を残したいと思うのは当然だということらしい。だが、グルのような世捨て人は違う。彼らには子供がいないのだから、グルや僧院へ入った金は社会に戻ってくると信じられている。だから僧院へのお布施は、「税金のようなもの」と信者たちは言う。

「いずれ自分たちに戻ってくるからね」

私は、いつも泊めていただいている大理石が敷き詰められたグルの豪邸や、彼が政治家に電話をかけまくる最新型の iPhone などを思い浮かべていた。

それほど納得できていない私に、元校長先生はこうも言った。

「一人のサンニヤーシが使える額なんて、たかが知れているでしょ」

【解説：インドの「消えた女性たち」】

「消えた女性たち（missing women）」という表現をご存じだろうか？　これは、ノーベル経済学賞を受賞したアマルティア・センが一九九〇年一二月二〇日付の『ニューヨーク・レビュー・オブ・ブックス』で発表した「一億人以上の女性たちが消えている（'More Than 100 Million Women Are Missing'）」という論文で初めて使われた表現だ。日本の人口に匹敵する数の女性たちが消えているとは、どういうことなのか？

自然な状態であれば、一〇〇人の女児に対して、一〇五から一〇六人の男児が生まれることはほぼ世界共通である。しかし男性が有利なのはここまでで、なぜか女性の方が病気などへの抵抗力が強く、単に女性が男性よりも長生きするだけでなく、成長期においても、同じ栄養状態、医療体制であれば女性の方が生存しやすい。そのため、ヨーロッパ、北米、日本では女性の人口の方が男性よりも多い。

だが、この女性と男性の割合は場所によって大きく異なる。他の地域に比べて女性の割合が著しく低い地域が中国、南アジア、西アジアなどである。もし男女比を一：一とすると、この地域では一：〇・九四（一九九〇年時点の数値）であり、他の地域では生存しているはずの女性がこの地域では六％も「いない（消えている）」ことになる。さらにいえば、男性と女性が同等に扱われている地域での男女の人口比は一：一・〇五であるから、それと比較すると実に一一％の女性が消えているわけだ。こうした計算によって導かれたのが一億人という数字であった。つまり本来ならば生きているべき一億人もの女性が何らかの原因でいないのだ。

センの論文以降、人口学者や社会学者たちは「消えた女性たち」を社会問題として議論してきた。国連人口基金（ＵＮＦＰＡ：United Nations Population Fund）による二〇二〇年のレポート（UNFPA State of World Population 2020）によれば、二〇二〇年には本来生きているはずであった女性たち一億四二六〇万人が「消えている」という。消えた女性の数は一九七〇年の六一〇〇万人から五〇年で倍増している。消えた女性が圧倒的に多い国が二つある。中国とインドだ。中国では七二三〇万人が、インドでは四五八〇万人が消えている。世界から消えた女性の実に過半数が中国から、そして約三分の一がインドからなのだ。

では女性たちはどうやって「消える」のか?

まず女性が消えている地域では、そもそも女性の生まれる数が少ない。男児が一人生まれれば次の子供は望まないという選択をするだけでも女児の数に影響するが、それだけでは説明できない。男児が圧倒的に多い地域では、女児と分かった段階で堕胎しているのだ。これは超音波診断の技術発展によって、胎児の性別判断ができるようになったことが大きい。インドでは、胎児の性別判断は違法であるが、それでも二〇一三年から二〇一七年の間に年間約四六万人の女児が誕生の段階で消えており、出生前の性選別(prenatal sex selection)がインドで消えた女性の約三分の二を占めるという。

では残りの三分の一の女性はどう消えたのか?

彼女たちは出生前の選別を逃れ、生まれてくることができたにもかかわらず、何らかの性選別のために男性よりも死に至る可能性を高めたのだ。男児を好む文化のある地域では、男児は祝福されて育つが、女児は生まれた瞬間から失望の原因であり、後述するように将来の経済的負担でしかない。だから女児は無視され、忘れられ、雑に扱われる。意識されるにせよ、されないにせよ、こうしたネグレクトにより女児は男児よりも死にやすい。男児が好まれる地域においては、女児は母乳を与えられる期間が男児より短く、また食事も少なく与えられるというレポートもある。インドにおいては、五歳以下の女児の実に九人に一人は、こうしたネグレクトなどの出生後の性選別（postnatal sex selection）によって亡くなっているとされる。

こうした数字には、インド国内においても大きな地域差があることを留意しておきたい。インドでは男女の人口比が自然な値から離れている地域と出生後の性選別による女児の死亡数の高い地域はほぼ一致していて、いわゆるヒンディー・ベルトといわれるウッタル・プラデーシュ州、ビハール州、マッディヤ・プラデーシュ州、そして北西部ラジャスターン州でその傾向が強い。一方でケーララ州などの南部では、男女の人口比も先進国とほぼ変わらず、五歳以下の女児の死亡もそれほど多くはない。

さて、なぜ女児よりも男児が好まれるのか？　数十年前の日本でも女児よりも男児、そして長男が「家」にとって大切な存在とされていたのだから、これはそれほど想像に難くないだろう。男性が財産を相続し、家の名前やビジネスを継承し、先祖代々の墓を守る。だからこそ、男性は教育を受け、良い仕事に就き、家族を支えることも当然と考えられてきた。こうした家父長主義においては、実は男性自身もそのイデオロギーの犠牲者として苦しむことが多いが、女性は生き続けることはもちろん、生まれてくることそのものも困難なのだ。

インドにおいて男児が好まれる原因の一つに持参金問題がある。娘を嫁に出す側が現金や金・銀などを持参金として婿側の家族に渡す習慣は、女性がより地位の高い家へと嫁ぐ上昇婚が多い北インドで行われた慣習だが、現在ではかつてイトコ婚などの同位婚が多かった南インドにも広がっている。また持参金はヒンドゥー教徒だけでなく、クリスチャンやムスリムの間でもみられる。

持参金の額は、婿となる男性の教育レベルや給与の額などで大きく異なる。またカーストによっても要求する額は変わってくる。インド西海岸部に多いコンカーニ・クリスチャンは多額の持参金を求めることで有名だが、現金や貴金属の他に、高級車や値段の高騰しているムンバイ市のマンション（これだけで何千万円とするだろう）などの不動産を要求されることもあるという。これが伝統的な男性中心主義に加えて、女児よりも男児を好む傾向に拍車をかけることになっている。そして持参金が少なかったからと夫やその家族からハラスメントを受ける女性も多い。持参金で揉めて、結婚後に殺される「持参金殺人」（多くは生きたまま火をつけられて殺される）も一時ほど社会問題とはなっていないが、最悪だった二〇一一年には年間八六一八人の女性が殺された（インド国立犯罪記録局調べ）。ちなみにインドでは持参金を要求することも支払うことも一九六一年以降は違法である。

女性の数がこれだけ減れば、需要と供給の関係から、結婚市場における女性の価値が上昇しても良さそうだ。だが、そう簡単には物事は進まない。むしろ収入の安定した職持ちの男性が少ないため、そうした男性に女性が集中する（本章での重婚の例を思い出して欲しい）。さらに女性が若い方が持参金の額を低く抑えられるため、法律で決められた一八歳を下回る年齢で結婚させられる女性も少なくない。

結果的に、多くの女性が「消えた」地域では、結婚できない若い男性が多く残ることになる。レイプなどの女性への暴力事件が多いのも同じ地域だ。北インドでは、北東インドなどのより貧しい地域から「買われて」きた女性たちが奴隷同然の扱いを受けているという報告もある。持参金を持ってきた女性たちですらハラスメントにあうのだから、「買われた」女性たちの困難さは想像に難くない。

第四章　誰が水牛を殺すのか？

マーランマの怒り

むかしむかし、ある村にマーランマという名のバラモン（司祭カースト）の娘がいました。マーランマはある時、村では見かけない若くて体格の良い青年に出会いました。その青年のあまりの美しさに、マーランマは一目で恋に落ちました。その青年の名前はカッダライヤ。二人はすぐに結ばれて、七人もの子供に恵まれました。

ある日、カッダライヤの母親だと名乗る老女が訪ねてきました。マーランマは、カッダライヤは天涯孤独の身の上だと思っていたので、姑《しゅうとめ》に会うことができて大喜び。さっそく家に招き入れ、祭りの日のために特別にこしらえたカドゥヴ（サトウキビの粗糖で作った揚げ菓子）でもてなしました。そしてマーランマは、買い物に行ってくると言って家から出ていきました。カッダライヤと母親は久しぶりに会えたことを抱き合って喜びました。カドゥヴをしゃぶっていた母親にカッダライヤは聞きました。

「どうだ、俺の女房の作ったカドゥヴは？　口に合うかい？」

「あー、これは丁寧に作ってあるよ。とても美味しいよ。でも（動物の）骨をしゃぶる、あの美味しさにはかなわないがね」

二人が知らなかったのは、買い物に出かけたはずのマーランマが実は家のすぐ外で二人の会話を盗み聞きしていたことでした。自分の夫が「骨をしゃぶる」人間、つまり不可触民だと分かって、マーランマは怒り狂いました。

家の中に入ると、まず七人の子供を殺し、なんとか逃げ出したカッダライヤの後を追いかけました。

マーランマは呪いの言葉を叫びました。

「わたしを騙したお前を絶対に許さない。お前を殺して水牛にしてしまうぞ」

マーランマは村中を探し回り、逃げ出したカッダライヤを見つけだすと、その場で彼の首を切り落としてしまいました。

すると首のない身体から水牛の頭が出てきて、カッダライヤは水牛になってしまいましたとさ。

このマーランマの神話を初めて聞いたのは、村の宗教実践とダリトの関係についてM・

C・ラージというダリトの活動家から説明してもらっていた時である。

ラージは神話に秘められたさまざまな意味を教えてくれた。

「カッダライヤが水牛に姿を変えるのは、不可触民の本当の姿は人間ではなくて、水牛だということだね。別のヴァージョンでは、カッダライヤは怒り狂ったマーランマから隠れるために、水牛の腹を割いてその中に入る。でもマーランマは見つけだして、水牛とカッダライヤの両方の首をはねてしまう」

ここでラージの妻、ジョーティが話に加わる。

「神話にはいろいろなヴァージョンがあってね。七人の子供というのは、もちろん象徴的な七ね（インドでは女神の七姉妹など、七が特別な数字とされる）。別のヴァージョンでは、マーランマは七人の子供を殺そうとするのだけど、七番目の子供は生き残るの。その七番目の子供の子孫だというアサディと呼ばれるコミュニティーが今でもあるのよ」

ラージがさらに続けて、

「アサディの儀礼的な役割は、夜通しこのマーランマの神話を語ることなのだけどね。その時に彼らがマーランマのことを信じられないくらい汚い言葉を使ってなじるんだ。ありとあらゆるスラングを使ってね」

マーランマの神話は、旧不可触民ダリト〈ラージは後述するように「アディジャン〈オリジナル・ピープル＝この大地にはじめからいる人たち〉」を自称する〉への警告の物語である。カッダライヤのように、本当の出自を隠して高カーストの女性と結婚するなどという罪を犯したらどうなるか、それをマーランマの神話は教えるのだ。

マーランマは、南インドの農村部で広く祀られている村落女神である。水疱瘡《みずぼうそう》などの病を治し、村落に恵みの雨をもたらすと信じられているパワフルな女神だ。バラモン中心的なヒンドゥー教の神々の世界において、男神の横に従順な妻として寄り添う優雅な女神たちと違い、マーランマは単身で武器を身につけ、ライオンの背にまたがり水牛の魔神マヒシャースラを打ちのめす。この猛々《たけだけ》しい女神には、生《い》け贄《にえ》の血を与えて喜ばせなければならない。だから、菜食主義者で、死や血液を不浄の源とみなす高位カーストは、マーランマの祭りには直接参加しない。マーランマは、それゆえダリトを含めた村落の低カースト＝非バラモン・カーストの女神、つまり民衆の女神だとみなされてきたのである。学者たちも含め誰もそこに隠された物語を知ろうとはしなかった。

この神話を聞くと、マーランマ祭でダリトたちが担う儀礼的役目にはおぞましい意味が隠されていることに気づく。毎年二月から三月（場所によっては七月）にかけて行われるマーランマの祭りでは、数年に一度、特別に大きな儀礼が行われ、その地域の大地主はそのために水牛を用意する。その地主の懐具合によって、一頭から数頭の水牛が購入され、村のダリトが面倒を任されることが多い。彼らは祭りの時まで水牛が丸々と太っているよう、大切に育てなければならない。祭りの当日、代々供犠執行人の役目を担うダリト（別のカーストが執行人の地域もある）の男性には酒が振る舞われる。彼は酔って興奮した状態で、

典型的なマーランマ像。ライオンに乗り、水牛の化身でもある魔神マヒシャースラを征伐しているシーン。ここではマーランマは女神ドゥルガと同一視されている。（著者撮影）

巨大な水牛の喉を掻《か》き切るという非常に危険な任務を行わなければならない。その危険な任務が終わるとすぐさま水牛の血を飲まされる。さらに水牛の血は米と混ぜられ、男性は村の中や周辺の田畑を走り回りながらこの血米を撒《ま》き散らす。これはその年の豊穣を祈願するために重要なこととされる。

マーランマの神話から、ダリトと水牛が同一視されていることは明白である。その水牛をダリト自身に殺させるという残酷さがこの祭りの核にある。一連の水牛供犠の最後、地主たちは、カースト・ヒンドゥーが住む村と、村の外のダリトたちが住む路地（ケレ）の間に、ダリトたちの路地側に顔が向くよう切り取られた水牛の頭を置く。カースト規範の厳密さをダリトたちに思い知らせるかのように。

マーランマの神話を教えてくれたラージは、妻ジョーティとともにカルナータカ州のトゥマクール県でＲＥＤＳ（the Rural Education and Development Society）という人権教育やトレーニングなどを行うＮＧＯを設立した活動家である。長い間、インドの人類学を勉強してきたくせに、私はマーランマの神話を知らなかった。インドの村落女神信仰については多くの研究があるが、この土着の信仰に隠されたカースト差別について言及した研究はほとんどない。むしろ村落女神信仰は、民衆による信仰であり、バラモン中心の権威主義的な寺院儀礼に比べ平等的だとすら思われてきた。

ソーシャルワーカーでもあるラージとジョーティは、元はクリスチャンのダリトであった。しかし信仰を離れ、マルクス主義に傾倒した二人は、一九八〇年代にベンガルール市から遠くないトゥマクール県の農村に住む貧しい人々と働き始め、徐々にインド農村における問題は階級ではなく、カースト制度だと気づく。そして、ダリトの中でも特に貧しく、より過酷な差別を受けているサブ・カーストのマディガたちの中で活動を始めた。

ラージは二〇〇一年に『ダリトロジー（ダリト神学）』（*Dalitology*, REDS）という大著を発表し、その中で、ダリトはキリスト教徒でも仏教徒でもなく、ヒンドゥー教徒ですらなく、ダリトにはダリトの独自の宗教世界があると高らかに宣言した。ダリトの国家（ダリトスターン）を建立すべきだとまで主張するこの本の出版によって、それまでラージを支えていたキリスト教系社会主義者や左翼系活動家たちはラージが過激な「宗教家」になってしまったと批判し、去っていった。一方、ラージはマディガたちの一種の「グル」になっていく。だが、後に述べるように、ラージとジョーティの活動は、宗教というよりは、世界情勢への深い理解と冷静な政治経済的判断に基づいた極めて革新的な社会運動だったのだ。

社会的制裁と新しい抵抗

なぜダリトたちは、マーランマの祭りに何百年(ラージは数千年という)もの長い間、抵抗もせずに参加してきたのだろうか。

まずは極めて即物的な理由である。水牛の面倒を任されるダリトにも、供犠に関わるダリトにも一切報酬は支払われない。しかし祭りが終わり供犠を終えた水牛の肉の一部はダリトたちのものとなる。普段はなかなか口にすることのできない水牛の肉を食べることができるという誘惑にダリトたちは負けてしまうのだ。二つ目は、彼ら自身が怒れるマーランマの力を信じているからである。もしマーランマのために水牛を殺さなかったら、どんな恐ろしいことが起こるだろうか。疫病が蔓延《まんえん》するかもしれない。その年に来るべきモンスーンが来ず、飢饉《ききん》となるかもしれない。そして三つ目は、他者からは屈辱的に見える役割であっても、村落社会から必要とされる役目をこなすことに誇りを感じるダリトもいることが挙げられる。最後に、より切実な理由は、村で権力を握るカースト・ヒンドゥーに歯向かえばどうなるのか、彼らは十分に分かっているということである。そもそも屈辱的な仕事をいつもやらされているのだから、ここで怒ってもしょうがないという諦めもあるだろう。

農村部に住むダリトたちのほとんどは、土地なしの農業労働者である。一九七〇年代以降、比較的成功したといわれるカルナータカ州の農地改革においてさえ、ダリトたちに農地が正当に分け与えられることはなかった。そこでわずかな土地を得た者であっても、それは灌漑《かんがい》されていない荒れ果てた土地であった。生きていくためには、土地持ちのカースト・ヒンドゥーに日雇い労働者として雇われなければならない。彼らが雇うことをやめれば、わずかな収入の道をも断たれてしまうことになる。

ダリトたちの意識を変えるきっかけとなった事件が一九八八年に起こった。水牛の血を混ぜた米を撒く任務のダリトの男性が、たまたま足の裏にできものができていて、立っているのもしんどいほどだったので、その年はサンダルを履いて血米を撒いた。これがカースト・ヒンドゥーの怒りに触れた。彼らは、この男性を木にくくりつけると、彼の両脚が骨折するまで殴り続けたのである。

今でも保守的な村ではダリトが自分たちの路地を離れて村の内部に入る時には履物を脱ぐように強制しているが、ダリトを不浄の存在とみなし、ダリトが触れたものはすべて不浄となるという考えは少しずつ和らいできている。コーヒーや紅茶を出す小さな村の店で、ダリトにだけは別のカップを使わせたり、そもそもダリトには茶を出さなかったりすることは、もうあまり行われない。公共の場での差別が緩んできている一方で、私的な場での差別は厳然としてある。家の台所へはダリトを絶対に入れないとか、家庭内で行う儀礼にはダリトを招かないなど、家の空間の浄性を守るのだ。海外に住むインド人でさえも同様の浄・不浄観を持つ人がかなりいることに驚かされる。

さてこの不幸な男性が重傷を負った翌年、その村のダリトたちはマーランマの祭りでの供犠に参加しないことを宣言した。それはラージたちの人権教育を受けたダーサッパというダリト・リーダーがイニシアチブを取り、自分たちで決めたことだった。だがこれに怒った村の実力者たちはダリトとの関わりを一切絶つという社会的ボイコットを行った。それは、生活に必要なさまざまな物を売る村の雑貨店にダリトに物を売ったら五〇〇ルピー（当時の為替レートで約四五〇〇円）の罰金を支払わせる、日常生活に必要な井戸や脱穀場などの公共の施設をダリトには使わせない、などといった非常に過酷な制裁だった。

偶然にもその頃、当時首相だったラジヴ・ガーンディーがトゥマクール県を訪れる予定になっていた。首相がトゥマクールの町に来る、まさにその日の朝にこの社会的ボイコットが地元の新聞に大きく報道されたため、この問題はすぐに解決される必要があった。トゥマクール県の行政官のトップはラージの友人であり、ラージたちの活動を認めていた人だったので、彼はすぐに村を訪れて、カースト・ヒンドゥーたちに社会的制裁をすぐやめること、やめなければ法的な措置を取ると伝えた。さらにダリトたちに二〇〇万ルピー（当時の為替レートで約一八〇〇万円だが、庶民の生活水準では二億円近い額）もの開発費用を与えることを決めた。これによってこの村のダリトたちの生活は一気に改善された。だが今でも土地持ちカーストたちはダリトを農作業に雇わないという。

この村のケースは、たまたま政治的に取り扱われたために一定の決着をみたが、水牛供犠の儀礼に参加しないということは今でも争いの種であり、ダリトがその報復を受ける可能性は十分にある。

カラスのフンと呼ばれた少年

私が調査で使っていたフィールドノートによると、ラージと初めて会ったのは二〇一二年四月のようだ。その当時、私はできるだけ多くのグルたちに会おうとカルナータカ州中を車で走り続ける日々を送っていた。この日は前章で紹介したシリゲレ村から拠点にしていたベンガルール市に戻る途中で、車の窓から外を眺めていたら国道沿いにカンナダ語で「ダリト僧院」とある看板に気がついた。運転手のスレーシュに車を止めてもらい、看板のあるところまで戻った。

ダリト出身のグルはここ数年何人か現れており、それぞれがダリトの中のサブ・カーストを代表している。そのうちの一人にはすでにインタビューをしていたので、私はこのダリト僧院も一九九〇年代以降、カルナータカ州で多く出現していた低カーストやダリトたちによる新しい僧院の流れに属するのだろうと思っていた。

ダリト僧院らしき建物には「ブーシャクティ・ケーンドラ（大地の力センター）」なる怪

しげな名前が掲げてあったが、まあグルなのだからこれくらいありでしょうと思いつつ中に入る。円形状の建物の中に入ると中庭があり、ニワトリなどの小動物が飼われていた。これも僧院にはよくある風景。なぜかグルは動物を飼う。

だが建物はあまり見たことのないものだった。レンガで作られた建物には古民家から移築したらしい、彫刻の施された見事な木製の柱が再利用されていた。流木で作られた不思議な祭壇があり、複数のシンボルで囲まれた赤ん坊のようなモチーフの上に「ダリタットヴァ（ダリト性）」と書かれた不気味な絵が祀られていた。

うっかり変なカルト宗教の施設に来てしまったかもしれないと少し不安になっていると、長髪にあご鬚《ひげ》をたくわえ、青いドーティ（腰巻き）に黒いシャツを着た男性が現れた。通常グルたちはサフラン色の服をまとっているものなので、このいで立ちは異様だ。すぐに退散するつもりで、とりあえず自分が調査していることをカンナダ語で説明し、どのような活動をしているのか教えて欲しいと聞いた。額に青いマークをつけた怪しげなヒッピー・グルは、意外にもゆっくりとしたカンナダ語で穏やかに喋り出した。完璧なカンナダ語だが、地元の人ではないことは明らかだった。会話は自然と英語になり、彼がカルト・

M・C・ラージ（右）と妻のジョーティ（左）。ダリト解放運動のカラーである黒を身にまとっている。額にはもう一つのシンボルである青のマーク。ブーシャクティ・ケーンドラにて。（著者撮影）

リーダーというよりもかなりの教養を持った知識人であることが分かった。話す英語もインド人訛《なま》りの全くないニュートラルな美しいものだった。この日は彼が書いたという本を数冊もらって帰途についた。その中には論争を呼んだ『ダリトロジー』もあり、この革命的な本を書いた人こそが、私が出会ったM・C・ラージだったのだ。

それ以降、カルナータカ州に戻るたび、ラージに会いに行くようになった。ラージの妻ジョーティ、当時州立美術大学で学んでいた息子のプリータムとも家族ぐるみの付き合いをするようになった（プリータムにはその後日本に講演に来てもらっている）。私はダリトの解放運動の問題について、そのほとんどすべてをラージから学んだといってもいいかもしれない。ダリトが歴史的に置かれてきた境遇の過酷さだけでなく、より良い未来を構築するための具体的な方法（彼はそれをストラテジーと呼んだ）を彼ほど明晰《めいせき》な形で語れる人に私は会ったことがなかった。だが私はラージという人間をどのくらい知っていただろうか？

ラージが肺がんで二〇一七年六月に亡くなるまで、私はラージが著したダリト解放運動に関する膨大な著作をすべて読み、その内容について彼と何時間も議論した。私がブーシャクティ・ケーンドラに通っていた時期には、ダリトに関する思想的な著作よりも小説、さらにSF小説へと彼の関心は移り、日々恐ろしい速さで本を書き上げていた。そうしたフィクションの作品の中には明らかに彼自身の人生を元にしたと思われる小説があったが、私は本書のこの章を書き始めるまで、なぜかその本だけは読むことを避けていた。

ラージと接していた数年間、私は彼が声を荒らげたり、感情的になったりしたところを一度も見たことがない。体調を崩し、何が原因なのか分からず医者をたらい回しにされ、屈辱的な扱いを受けたと教えてくれた時ですら、その口調は穏やかだった。

だから、ある時ラージが、「僕はね、長い間ひどい劣等感に苛まれてきた。今でもそれに苦しんでいるよ。定期的にセラピーも受けている」とふと漏らした時、私は何か触れてはいけないものに触れてしまった気がした。ラージの自伝的小説は、まさにこの触れてはいけないものの集積だ。たぶんそれを薄々感じていたから、私はこの本だけは読まずにいたのかもしれない。

主人公の名前をとって『ラーチ』（*Raachi*, Power Publishers, 2011）と題された大作は、貧しい少年が類いまれな才能と圧倒的な努力でエリート神学校に進み、宗教から離れた後も農村部に住むダリトのためのＮＧＯを立ち上げ、ＮＧＯセクターの中でも知られた存在になっていく成功の物語だ。同時にそれは、ラージが受けてきた不当な差別、妬み、裏切りの物語でもある。

ラージは、タミル・ナードゥ州の港町トゥートゥクディの郊外にある、カトリック教会が運営するハンセン病療養所で下働きをしていた夫婦の四男として生まれた。両親はどこの出身でどのようにして療養所までたどり着いたのか、ラージには全く語らなかったようだ。両親とも文字の読めないダリトであった。母親は娘を望んでいたようで、四人目の子が男の子であったことにいたく失望し、ラージに少しも愛情を注がず、彼の後に生まれた妹ばかりを可愛がった。父親は愛情を持っていたようだが、積極的にそれを示すすべを知らなかった。ラージはいつの間にか「カカピー（カラスのフン）」というあだ名をつけられ、家庭でも療養所でも村でも、いなくてもいい存在として軽んじられるようになった。

幼少期のラージの生活は極貧であった。服は二組しかなく、その一つには穴が空いていた。学校で使うペンすら買えず、修道院の司祭にもらったものを使っていた。明日食べるものがあるかどうか分からないギリギリの生活だ。

ある時、村の学校に通っていたラージは「司祭になる！」と宣言し、たまたま療養所を訪れていた地元教区の司教に気に入られ、一四歳の時に町の神学校に入学することが許された。修道女たちがシャツのための布と仕立て代を出してくれて、六枚のシャツを作った。地元の司祭はドーティをくれると約束したが、実際にくれたのはバスタオルだった。このエリート校で学んでいた間、ラージはバスタオルを腰に巻き続けた。

神学校のある教区はカースト意識の強い場所であった。教師である司祭たちも生徒もそれぞれの出身カーストによって派閥を作っていた。キリスト教に改宗してもなお、カーストは人間関係の基盤であり続けていた。皮肉なことにキリスト教の神学校に進んで初めてラージは強烈なカースト差別を体験することになる。

ラージはシャーナール・カーストの出身である。シャーナールの語源にはさまざまな説があるが、ラージによれば「見てはいけない者」という意味で、虐げられてきた存在であった。元々はパルミラヤシの木に登り、樹液を採り、ヤシ酒を造っていたカーストのようだ。一九世紀半ば、ドラヴィダ語の研究で有名な宣教師のロバート・コールドウェルの記述によると、シャーナールはヴァルナの最下層であるシュードラの中でも最も低いが、パライヤルやパッラルなどの不可触民よりは上という地位と見られ、「宙ぶらりん in-between」カーストだと描写されている（Robert L. Hardgrave Jr., *The Nadars of Tamilnad*, University of California Press, 1969）。確かに不可触民たちは村の中のバラモンの住む地域への立ち入りが禁止されていたが、シャーナールは許されていた。しかしシャーナールは不可触民同様、寺院へ入ることは許されなかった。またシャーナールの女性たちは腰より下のみ布で覆うことが許され、胸ははだけていなければならないというルールも上位カーストから押し付けられていた。「見てはいけない者たち」は同時に「見て愉《たの》しむ者たち」だったとラージは言う。

キリスト教への改宗を積極的に自らの社会的地位の向上に利用したシャーナールの一部は商業で成功し、さらに土地に投資し、それまで他のカーストに雇われていた立場から土地持ちカーストとなり、シャーナールの貴族階層を指す名前であったナーダル・カーストを名乗るようになる。おそらくラージの家族はそうしたナーダル・カーストへの上昇の動きから取り残されたグループであり、ラージの育った土地ではナーダルとシャーナールは明確に区別されていた。ラージはナーダル・カーストからも、そして同じように低いカーストである漁民カーストからも差別を受ける。一方で改宗キリスト教徒に多い旧不可触民のパライヤル・カーストからもさまざまなイジメを受ける。

神学校で陰湿なイジメにあい、ほとんど友人を作れなかったラージは、それでも運動や勉学で他の学生を圧倒的に凌駕《りょうが》し、優秀な生徒のみが行くことが許される上位の神学校へ、さらにはエリート司祭になることが約束されるベンガルール郊外のキリスト教修道院へと進む。ベンガルール市では、社会主義的なキリスト教徒や左翼学生の影響を強く受け、徐々にキリストとマルクスの思想を同時に実現することを夢見るようになる。エリート司祭になることを家族や療養所の修道女たちから期待されながら、ラージは教会や神学校の権威にことごとく歯向かった。自らが信じるキリストの教えと教会が貧しい人たちを搾取している現実に耐えられなかったのだ。他の神学生にとって、司祭の道は特権が保証された魅力的なキャリアであったが、ラージにとっては貧者を救うことこそが彼の使命であった。

外では自信満々を装い、怒りの感情を抑えることをしない若き日のラージであったが、内では常に劣等感に苛まれていた。二六歳になるまで夜尿症に悩まされていたという事実をラージはさまざまなところに書いているが、これがこの青年に与えた影響は凄《すさ》まじいものであっただろう。幼少期に両親からの十分な愛情を受けなかったこと、極貧の生活、村や学校でのイジメ、神学校でのカースト差別、こうしたことが夜尿症の背後にあり、それがまたさらなる劣等感となるループの中にラージは長い間閉じ込められていた。

司祭になることよりも貧しい人々とともにあることを選んだラージは、人権保護のためのNGOで働き始める。そしてベンガルール市のエリート大学で学生運動に参加し、その才能を認められていたジョーティと出会う。ジョーティの両親はヒンドゥー教徒であったが、異なるダリトのサブ・カーストに属していたことから結婚を反対され、親族関係を離れ、キリスト教に改宗した。そのため、彼女の中にはヒンドゥー的な倫理観が強く残っていたとジョーティは回想する。

ラージと出会った頃、ジョーティは修道院に住み始め、修道女になることを計画していた。左翼運動に参加し新聞沙汰にもなったことが自分の二人の妹たちの縁談に悪影響を及ぼすかもしれないと考えたからだ。彼女が修道女になれば、家族の名誉は一気に回復されて妹たちにも良い縁談が来るはずだという理屈である。だから修道女になることを諦め、どこの馬の骨とも分からないラージと結婚し、ソーシャルワーカーとして生活すると彼女が宣言した時、家族は猛反対した。

ジョーティの父親はかつて軍人として働き、その後は鉄道関連の仕事、さらには不動産業をやっていたこともあったらしい。彼らの経済状況はそれほど悪くはなかったが、父の仕事がなかった時期もあり、家族の生活は一時ひどく困窮した。ラージとの結婚に当初一番反対したのもこの父親だった。司祭になる将来を捨てたラージは性欲の塊でジョーティを洗脳したに違いないと怒鳴りつけ、ジョーティを殺して自分は刑務所に行くとまで言い放った。

一九八二年に二人は駆け落ち同然で結婚し、タミル・ナードゥ州のNGOで働き始める。ジョーティは北西部の県を担当し、当時妊娠していてお腹が大きかったにもかかわらず、町のバスステーションなどで人権教育のトレーニングを行っていた。同じ町の病院で会計士の仕事をしていた彼女の父は、その姿を見かけたのか、ある日大きな水筒に入れたビールを持参して二人の元を訪れる。何も言わずに二つのコップにビールをなみなみと注ぐと一つをラージに渡し、軍隊式の敬礼をしてから飲み始めた。この日から父と義理の息子は強い絆《きずな》で結ばれるようになる。ジョーティの父はブーシャクティ・ケーンドラに埋葬されているが、そのすぐ隣には今はラージ自身が眠っている。

一九八四年、すでにNGOが増えすぎて飽和状態になっていたタミル・ナードゥ州を離れ、ラージとジョーティはベンガルール市に近いトゥマクール県で自分たちのNGO、R

EDSを設立する。

NGOを運営しているとはいえ、当時のラージは怒りを抑えることのできない青年だった。キリスト教系社会主義者や共産主義者たちからマルクス主義者特有の言葉遣いを学んだラージは、ダリトを差別し搾取しつつ、歴然と目の前にある不平等を見ないふりをする教会の権威者たちやインドのエリートたちを公共の場で強く断罪するようになっていた。

一九八九年にタイで行われた四ヶ月間の「社会正義と信仰」のトレーニング・コースに参加した時も同じだった。同じコースに参加していたアイルランド人のアネットはそんな彼をじっと観察し、こう語りかけた。

「なぜ不正義について皆を怒鳴りつけないといけないの?」

「僕はこの不公平なシステムに対して怒っているんだよ。皆分かっていると思うけど。僕らはこのシステムを変えたいんだ」

「そのシステムに反対している人たちしかいない場所で怒鳴り続けることでシステムを変えることができると、あなた本気で思っているの?」

「でも皆、僕の言ったことに賛同してくれたじゃないか!」

「それは本当ね。でももしあなたの怒りが単に彼らの注目を集めるためだけのものだと分かったら？　それでも賛同するかしら？」

納得のいかないラージは、当時流行っていたパーソナリティ診断のマイヤーズ・ブリッグスタイプ指標テストをやってみることにした。すると驚くことに彼の感情指数はゼロという結果だった。

彼はアネットに疑問をぶつけた。

「でも僕の中には、仲間に対する感情（emotions）が溢れるほどあるよ」

「これはあなたが感情を持っているか、持っていないかが問題ではないのよ。あなたがどこから自分自身を操作しているかが問題なの。あなたの感情は、注目されることや認められることに向けられているのかもしれない。あなたはそうしたことをこれまで十分に得られてこなかったから」

ラージはこの時初めて自分自身の心理状態を客観的に分析することを学んだ。彼は合理性に基づいた知識のみに頼って行動しており、自分の感情をどう扱っていいのか分かっていなかったことに気づいたのだ。貧困や差別の中で、彼は自分の感情を押し殺すことに慣れ切ってしまっていた。そして抑えつけられた感情は時に怒りとして爆発した。

「僕の仲間たちの痛みに対して湧き上がる感情からも自分自身を遮断しているのだとしたら、どうして僕自身がコミットしているなどといえるだろうか？　僕のコミットメントは問題ありだ。不正義に対する僕の怒りは僕のことを認めてこなかった社会の注目を集めるための手段でしかなかった」

自問するラージにアネットはこう諭した。

「あなたがそれを認識できたことは素晴らしいわ。怒りを溜《た》め込んだ倉庫が大きくなると、怒りの感情をコントロールできなくなる。コントロールできなくなった怒りを強迫性の怒り（compulsive anger）と呼ぶのよ。それをコミットメントだと間違えて捉える人は少なくないわ。でも強迫から行動する人がどうやって他の人を解放できると思う？」

アネットとのやりとりが続いた後、ラージはただただ号泣した。

彼はその後しばらく自分の殻に閉じこもってこれまで抑えつけてきた感情と向かい合った。

その闇から抜け出した後、彼は大きな変化を遂げていた。

アディジャン・パンチャーヤトとダリト解放運動

ラージが進めてきたダリト解放のための主な活動は五つあり、それぞれは有機的に結びついている。

一つ目は電気の通っていないダリトの村にソーラーランプを設置する活動。二つ目はアディジャン・パンチャーヤト（アディジャン議会）を設立する活動。三つ目は土地改革で国から土地を得たはずなのに目にすることすらなかったダリトたちに本来所有すべきだった土地を回復する運動。四つ目は選挙制度の改革。ダリトやムスリムは全国にほぼ等しく散らばっているために現行の単純最多得票主義（一つの選挙区で一番得票した候補者が選ばれるシステム）の下では彼らの利益を代表する政党は選挙で勝ちにくい。そのために他の国で行われているような比例代表制度を導入しようとする運動である。五つ目がこの章の冒頭で紹介した水牛供犠の拒絶である。

ソーラーランプを電気の通っていない村に設置するプロジェクトでは、当初国際的な二酸化炭素排出権取引を利用して欧州のＮＧＯを通じて資金を得ていた。電気を使わないことで二酸化炭素の排出を減らし、その量に応じて二酸化炭素を排出する企業などと取引するシステムである。現在はインド国内の企業から資金を得ているが、ソーラーランプの使用者からの使用料だけでやっていけるのではないかという。

選挙制度の改革に限っては、トップダウンで行うしかないとラージは考えているため、デリーなどで国会議員に働きかけることが中心だが、その他の活動は彼らのNGOから給与を得ているコーディネーターと呼ばれる人たちによって担われている。彼らの活動の核はアディジャン・パンチャーヤトを作るように村人たちを説得し、その運営を支援することだ。村人たちはソーラーランプや自分たちの土地を得たいと思えば、まずはアディジャン・パンチャーヤトを設立する必要がある。

ではアディジャン・パンチャーヤトとは何か。

本章末の【解説】で詳しく紹介するように、インドの村落レベルでの自治はグラマ・パンチャーヤトという議会が担っている。このいわば村落議会のメンバーは選挙で選ばれ、留保制度が適用されるため、ダリトや女性、指定部族、OBCの議席が一定数確保されている。しかし実際には権力を握る農民カーストの年長の男性が牛耳っており、ダリトや女性たちが声を上げることは難しい。だからラージは、ダリトだけで構成されるアディジャン・パンチャーヤトが必要だと考えたのだ。伝統的な村の長老会議でも、近代的なグラマ・パンチャーヤトでも、ダリトの問題はダリト以外のカーストによって決められてきたが、アディジャン・パンチャーヤトではダリト・コミュニティー内の問題がダリト自身によって議論され、解決される。ダリトにとって、自分たちのことを自分たちで決める場を確保することは革命的なのだ。

そしてアディジャン・パンチャーヤトがあることによって、ダリトはカースト・ヒンドゥーたちと対等に交渉することができる。ラージがよく言っていた「対立的ではなく、対話的に」の精神がここに表れている。ガーンディー主義者たちが理想化した在り方とは程遠い差別と搾取が温存された村落において、B・R・アンベードカル（ダリトのヒーローであり、インド憲法の草案を作った政治家）が喚起したように、村を出ることができない多くのダリトたちにとっては、アディジャン・パンチャーヤトは村にとどまりつつ新しい未来を構築するための手段なのだ。

二〇一七年三月、ラージの息子のプリータムがアディジャン・パンチャーヤトのある村に連れていってくれた。その村はガンガランマという女性のコーディネーターが担当しており、三八〇人の村民のうち、四割近くの約一五〇人がダリトである。ダリト人口のうちの多くはマディガであるが、マディガのライバルであるホレヤ・カーストも少なからず住んでいる。ホレヤの多くは元々農業労働者であったが、皮革産業や動物の死骸処理、葬儀の際の太鼓叩きなどを任されていたマディガたちに比べ不浄度が低い上に、教育を受ける機会も多かったため、マディガよりも社会経済的状況が良いとされる。さらにダリト全体が享受できるはずの留保制度の恩恵を、ホレヤがほとんど独占していると批判されている。このようなダリト内部の分裂はますますひどくなっているのだ。

マディガとホレヤが共存する村のダリトをまとめるのはさぞかし大変だろうと思ったが、ガンガランマによると、最も大変だったのはマディガもまた二つのグループに分かれており、当初はお互いにほとんど口も利かない状態だったことだという。マディガの中にも何十ものサブ・カーストがあるといわれているので、そういう分断かと思っていたら、そうではないらしい。さらに聞こうとする私をプリータムはさりげなく止めて、「それについては僕から後で詳しく説明するよ」と英語で言った。

プリータムによると、この村のマディガたちは過去に女性たちがカースト・ヒンドゥーの性的な慰みものになることを許したグループと、断固としてそれに抵抗したグループとに分かれていたのだという。「(不浄がうつるから)触ってはいけない者」が実は「(性的に)触って愉しむ者」だという差別のおぞましさがここにもあった。そのおぞましさは、さらに差別された者たちの連帯をも妨害するのだ。

アディジャン・パンチャーヤトを作るためには、村のダリトは全員メンバーとして参加しなければならないとラージは定めた。だから村に異なるサブ・カースト、分断があるとコーディネーターは苦労する。なんとか全員説得した後、選挙によって一〇人の代表者を選ぶ。代表者のうち女性は最低でも五名選ばれなければならない。ラージは、本来あるべきアディジャンの世界観では女性は虐げられるものでなく、祝福され、世界をリードする存在だと主張していた。単にクオータ制を導入し、女性の頭数だけ増やすのではなく、アディジャン・パンチャーヤトではさまざまな場面で女性のリーダーシップが前提とされている。

ガンガランマのようなコーディネーターはそれぞれ約四〇の村を担当する。ガンガランマはソーラーランプの設置・修理をする技術者の夫とともに、バイクに乗って一日二つの村を回る。そこで集会を開き、一緒に新聞を読んで政府からどんな助成金が配られるかなどの知識を共有したりする。私が訪れた村では、メインの議題が土地権の回復だった。一九世帯で合計九四エーカーの土地の権利を主張し、彼らはコーディネーターやラージたちの手助けで弁護士を雇い、裁判所に訴え出たところであった。その裁判の進行状況も集会でシェアされる。

土地権の回復運動は月一回ブーシャクティ・ケーンドラで行われる「アディジャン・ダルシャン」がメインの舞台だ。ダルシャンとは神やグルなどを拝観することを意味する。だがラージは実は主役ではなく（そもそも出席しないことも多々ある）、アディジャン・ダルシャンの真の主役はランガイヤという中年の男性だ。彼はマディガで、大学で法律を学んだが、弁護士の資格は取れなかったらしい。長い間、裁判の書類を整えるのを手伝ったり、人々に法的アドバイスをしたりして生活していたようだ。彼は単に法律に詳しいだけではない。土地問題はケースバイケースで、裁判所に訴えるべきか、あるいはグラマ・パンチャーヤトのレベルで解決する問題かなど、最初の段階で判断しなければならない。その判断のためには、経験知と農村社会で物事がどう決定されるのかに関する実践的な知識が必要である。ランガイヤはそうした実践知の宝庫で、相談を持ち込んだ人々の話を聞くとすぐさま揃えるべき必要な書類を列挙し、次に何をすればいいか淀みなく説明する。アディジャン・ダルシャンはランガイヤの独演会である。現在進行中のケースの報告から新しいケースの相談までひたすら明晰に語り続ける。

ラージたちが進めている土地権の回復運動では、一九八六年から二〇二〇年までに一万二〇〇〇エーカー以上の土地がダリトの手に渡った。REDSに資金提供していたオランダの基金の評価レポートによると、平均して一世帯二~三エーカー程度の土地を回復したという。二〇一〇~二〇一一年に行われた農業国勢調査におけるインドの農地所有面積の平均は二・八エーカーだが、農地所有者の三分の二は一エーカー以下しか所有していないので、ラージたちが回復した二~三エーカーという土地の広さは驚愕《きょうがく》に値する。この成功はひとえにランガイヤがいたことによる。

ランガイヤは一人で仕事をしているので、私はラージにランガイヤは助手を雇うべきではないかと提案したことがある。時間が許せば私が名乗り出たいくらいだ。彼と仕事をすれば農村社会の表裏をしっかり学べるだろう。

「もちろん僕たちも何度も同じことを提案したよ。でもランガイヤが首を縦に振らないんだ」

「なぜですか？　その方が彼も仕事が楽になるし、後継者も育てられるでしょう？　土地権の回復運動をさらに広げるためにも人手が増えた方が良くないですか？」

ラージは私をじっと見つめて言った。

「彼が生涯をかけて得た知識と地位だよ。それをやすやす他人に与えられると思う？」

私が言葉を失っていると、さらに、「まさにそれが、ダリトの心理だよ」と言った。

数千年の傷を癒すこと

Ｍ・Ｃ・ラージが他のダリトの政治リーダーや知識人と異なるところは、彼がダリトの心理をよく理解し、それを解放運動の中心に置いたことだと私は思っている。だが彼は他のダリト団体やダリト知識人から執拗《しつよう》に不当な批判を受けてきた。デマを流されて、ＮＧ

Oへの資金を絶たれたことや地元新聞に嘘《うそ》を書かれたこともある（これは裁判を起こし、勝訴している）。いわば内輪から足を引っ張られ続けることに嫌気がささないのだろうか？

「ダリトはね、これまで社会の注目を集めることがなかった。だから一度その経験を味わってしまうと、今度はその地位を奪われたくないと思ってしまう。ダリト以外の人がダリトの問題について公共の場で語ることも嫌がられる。それは自分たちが本来占有するはずだった場所を不当に奪われているように感じるからなんだ。僕は彼らの心理がよく分かるから、僕を攻撃するダリトに対して怒りの気持ちは湧かないよ」

ダリト同士が足の引っ張り合いをしている限り、ダリトの解放運動が大きな流れとならないことは確かだ。そしてその原因をダリト・リーダーたちの偏狭さに求めることも簡単だ。だが、ラージはこれをダリト全体が乗り越えるべきことで、それには恐ろしく長い時間がかかるだろうと理解していた。

なぜダリトはすぐ不安になって、自分の小さなテリトリーを守るために大きな目標を台無しにしてしまうのか。ラージによれば、それはダリトが数千年にもわたって人間的な扱いを受けてこなかったからだという。ラージとジョーティはこんなエピソードを話してくれた。

ある時、ストリート演劇の手法で人権問題を伝える活動をしていたところ、主人公のダリト女性が最も虐げられ涙を流すシーンで観客のダリトたちは大笑いしたのだという。ラージたちはそれを見てショックを受けた。本来は同情し共感する場面で、ざまあみろと笑ったのだ。その時、彼らはダリトの感情を回復することが、社会経済的な状況を向上させることと同じか、あるいはそれ以上に大事なことだと悟ったという。

ラージは二〇〇八年に出版した『ダイキ』(*Dyche*, REDS)の中でダイキ(ダリト心理＝壊れた心理)について論じている。数千年にもわたる苦しみの中で、ダリト心理は麻痺《まひ》してしまい、怒りを感じることができなくなってしまっている。過酷な環境で今日を生きるために、ダリト心理はカースト・ヒンドゥーからの不当な扱いや搾取を無条件に受け入れてしまうという。だからダリト心理を癒し、本来あるべき感情を回復することがダリトの解放運動の中核に据えられるべきなのだ。

ラージのラディカルな思想は、同時にダリトたちが少しずつ小さな成功体験を積み重ねることが重要だという信念に裏付けられている。アディジャン・パンチャーヤトを通じて、自己決定権を少しずつ取り戻し、カースト・ヒンドゥーと対等な関係を徐々に作っていくことが目指されている。その中で村落女神マーランマの水牛供犠の拒絶は最も慎重に行うべきことであった。

肯定的な存在として自らの尊厳を回復するためには、自らの存在を自らの手で否定させられるような儀礼を拒絶する必要がある。水牛がダリトの象徴であるならば、水牛は生命の象徴でなければならない。だが、すでに述べたように、村落共同体の一体性とカースト秩序を再確認するこの儀礼を拒絶することは、カースト・ヒンドゥーへの挑戦の中でも最もリスクが高いものだといえる。だから、ラージの戦略は小さな女神寺院、比較的ダリトとカースト・ヒンドゥーとの関係が穏やかな村から働きかけ始め、徐々にスケールアップしていくことだった。小さな成功体験の積み重ねは、ダリトたちに自信を与えると同時に、警察などの国家権力のやる気を試す機会でもあった。

寺院での動物供犠は州の法律で禁止されている。そしてもし儀礼を拒絶することでダリトが暴力を受けることがあれば、これは不可触民や部族民に対する残虐行為を防止する法律（Prevention of Atrocities Act, 1989）にも違反することになる。だが第一章で述べたカウサリヤのケースでもそうだったように、警察はこうした残忍な行為を見逃すだけでなく、カースト・ヒンドゥーの味方をする場合が少なくない。

徐々にスケールアップしていった水牛供犠の拒絶だが、二〇一六年、ついにトゥマクール県で最大級のマーランマ寺院での水牛供犠が阻止された。その時現場にいたコーディネーターのガンガランマは興奮気味にこう語った。

「これまで警察が私たちの味方をすることなんてなかったから、本当に驚きました。警察の目を盗んで、支配カーストの男性たちが無理やり数頭の水牛を寺院内に入れようとしたのです。それに気づいた警官たちは、すぐに水牛を外に押し出し、放してしまった。そしてその場で男たちを何人も逮捕したのです」

この時、警察は完全にダリトの味方だった。

私は翌二〇一七年、マーランマの祭りの際に同じ寺院を訪れてみた。信者たちは自分たちが持参した鶏や山羊《やぎ》などを寺院のすぐ外で供犠に処していたけれど、水牛の供犠は行われなかった。だがその地域を担当する行政官の女性は（彼女自身ダリト出身とのことだったが）、水牛どころか鶏の供犠が行われていることも頭から否定した。とにかく前年の事件が表に出ることを恐れているようであった。運転手のスレーシュは周囲の住民に聞いてくれたが、彼らも行政官は絶対に喋らないだろうと笑っていたそうだ。法律を遵守したことを公務員が公に認められないという事実からも、この儀礼が地域社会にいかに深く根付いていて簡単には否定できないものであるかが分かる。実際、この地域から州議会選挙に出馬したある候補者は、水牛供犠の復活を公約の一つにしていたらしい。

無縁者のカリスマ

二〇一七年六月にラージが亡くなった後も、私はブーシャクティ・ケーンドラに足を運び続けた。後に残された妻のジョーティ、息子のプリータムはＮＧＯや運動を継続することに必死で休む暇もないようだった。私が来ると、それを言い訳にして仕事から離れることができるので、私は以前にも増して歓迎されるようになった。カリスマであったラージが亡くなったら、もう運動もブーシャクティ・ケーンドラも終わりではないかと思っていたが、それは良い意味で裏切られた。

プリータムは自然農法について説いた『自然農法・わら一本の革命』（柏樹社、一九七五年）の著者、福岡正信の思想に影響を受け、土地を得たダリト（アディジャン）が行うべきなのはこれまでの化学肥料・殺虫剤を大量に使った近代農業ではなく自然農法なのだとして、ブーシャクティ・ケーンドラをその教育センターとして生まれ変わらせようとしている。農業自体にそれほど関心のなかったラージにはできなかったことだ。これも都会で教育を受けた世代ゆえの発想といえるかもしれない。カースト・ヒンドゥーたちとは異なるやり方でよりサステイナブルな農業を目指すことは、アディジャン文化を再構築する上でも核になっていくだろう。

一方で海外からの支援を受けるＮＧＯ（特にダリト系のＮＧＯ）へのインド政府からの圧力は年々強くなっており、さらに海外の支援団体も支援金がどう使われているか、より厳密な監査を求めるようになっている。彼らのような小規模のＮＧＯにとっては、大量の書類を提出するのも大変なのだ。

ラージが生きていた頃にはタブーであった話も少しずつできるようになった。それは彼の長女でプリータムの姉であるアルチャンのことである。彼女は学業に秀で、法律を学び弁護士の資格を得るなど、ラージとジョーティの後継者とみられていた。彼らが世界中から先住民運動の活動家たちを招いて二〇一一年に行った「世界先住民議会（World Parliament of Indigenous Peoples）」でも、アルチャンはその運営を一手に引き受け成功に導いた。だが、地元のダリト組織がラージへの攻撃を強め、ラージのNGOからも組織を去る人が出てくるようになると、アルチャンも両親への不信感を強め、結局は家を出てしまった。ラージは生前彼女についてほとんど話さなかった。プリータムはいまだに両親を裏切った姉のことを許していない。

ジョーティが私だけにそっと教えてくれた。ラージが亡くなる直前にアルチャンが子供、つまりラージの孫を連れて会いに来たのだという。ラージは死ぬ前に初めて孫の顔を見ることができたのだ。ジョーティは涙を拭いながら、「間に合って良かったわ」と言った。

ラージのような類いまれな人であっても、全くコネを持たず、自分の能力だけで正しいことを行おうとするのは、インドではどれだけ困難なことか。ラージはインド社会の中では完全な「無縁者」であった。彼はどこへ行っても場違いであり、よそ者で、間違ったカースト、階級であった。無縁者のグルは、ダリトが何千年もの間受けてきた傷への深い共感と揺るぎない信念を持っていた。ラディカルで大胆な理想と、それでいて日常的な具体性への感性を兼ね備えていた。

ラージはグルだったのだろうか？　もしそうだったとしたら、かなり変わったグルだろう。通常、信者はグルの足もとにひれ伏すなど、グルに対して最大級の敬意を示すのだが、ラージの周りにそんなことをする人は誰もいなかった。ただラージを「アッパージー（お父さん）」、ジョーティを「アンマージー（お母さん）」と呼ぶだけだ。

ある日、アディジャン・ダルシャンに参加した年老いた女性がラージに会いに来た。手には家の庭で採れた手土産のオレンジを持っている。彼女は「アッパージー」と言った後、何も言葉を継げなかった。だが彼女が抱えている不安が手に取るように分かった。彼女たちは土地権を回復するために立ち上がったはいいが、それは村の支配カーストたちに歯向かうことを意味する。彼らからどんな仕返しをされるか。彼女の不安はリアルだ。

ラージはいつもの穏やかな口調で彼女に語りかけた。

「あなたたちが自分でやると決めた闘いだよね。最後までやろう。できるよ、大丈夫だ」

彼女は泣きながらうなずいた。そして拳を作った右手を上げて、しっかりと言った。

「ジャイ・ビム（「アンベードカルに勝利を」の意）」

ラージも同じ仕草をした。

「ジャイ・ビム」

その瞬間、グルと信者の上下関係は消えて、二人は同志になった。

【解説：インドの地方自治と村落パンチャーヤト】

インドの伝統的村落社会にはパンチャーヤトと呼ばれる長老たちの会議があった（パンチは五人、ヤトは会議の意味）。伝統的なパンチャーヤトは村人同士の争い事を仲裁したり、罪を犯した村人に制裁を加えたりするような権限を持っていた。村八分、カースト共同体からの追放などもこうした長老会議によって決められた。

近代的な国家権力に懐疑的であったM・K・ガーンディーは、村落は自給自足的であり、それ自体で十分な自治機能を持っている共和国だと理想化した。ガーンディー自身が現実の村落にどの程度実質的な自治機能、特に罪を公平に裁く機能があると信じていたかは大いに疑問の余地が残るのだが、ガーンディーが率いた反植民地運動には、植民地主義によって破壊されたとされる村落自治体を回復しようという目的が含まれていた。

「村落共和国」という考え自体は一八世紀のイギリス人東洋学者によって注目され、植民地官僚たちによってインド統治の伝統的で自然な在り方だとみなされ、インドに近代的で民主的な統治を確立しないことの免罪符のように使われてきた側面もある。植民地官僚の中に村落共和国を復活させることを主張していた者も多く、すでに一九二〇年には五つ以上の州で村落パンチャーヤトに法的な効力が与えられている（Crispin Bates, 'The development of Panchayati Raj in India', in Bates & Basu (eds.), *Rethinking Indian Political Institutions*, Anthem Press, 2005）。ガーンディー主義者のナショナリストたちと植民地官僚は、実は同じロマンティックな村落イメージを持っていたのかもしれない。

一方、アンベードカルにとっては、村落は「郷土偏愛のどぶで、無知と不寛容とコミュナリズム（宗教対立）の溜まり場」（一九四八年一一月の憲法制定会議での発言）以外の何物でもなかった。村落にとどまっている限り、ダリトは差別から逃れることはできない。だからアンベードカルは、ダリトはなによりも村を出て教育を受け、近代的な職を得ることが必要だと説いたのだ。

独立後すぐのインドにおいては、地方分権化を進めるよりも、強い中央政府による計画経済への期待が高く、村落パンチャーヤトのような伝統的な自治組織を復活させる機運は低かった。だが知識人階層に根強く残るガーンディー主義と、重工業と都市中心の開発プランへの反対から、徐々に村落パンチャーヤトを地方自治の一部に組み込む動きが始まり、一九九三年施行のインド憲法改正において草の根レベルの統治組織として位置づけられた。

現行では、住民一万人に対して一つのグラマ・パンチャーヤト（村落議会）が構成され、五年に一度選挙によって選ばれたメンバーによって運営される。留保制度も適用され、ダリトや女性、指定部族、ＯＢＣの議席も確保されている。グラマ・パンチャーヤトがどの程度機能しているかは地域によっても大きく異なり、一概には評価が難しい。しかし初期に理想化されていたような村落内の揉め事の仲裁能力を持った自治組織というよりも、州政府から下りてくる農村開発のための予算を分配するだけの機関と成り下がっているところが多いといわれる。また、グラマ・パンチャーヤトのメンバーに選ばれることは政界への第一歩と捉えられており、かなりの資金を使って票を買収するということも横行している。

第五章　ウーバーとＯＢＣ

スレーシュが刑務所に行くことになったわけ

「マダム、僕ね、刑務所に入っていたことがあるんですよ。隠しておいて後でバレて、お互い気分が悪くなるなんてことになるより、最初からはっきりさせておいた方がいいと思いましてね。刑務所に入っていたドライバーは嫌だっていうなら、他のドライバーを呼びますから。僕は全然気にしませんから、はっきり言ってくださいね」

この本でしばしば登場する運転手のスレーシュから突然そう切り出されたのは、いつの頃だったか。おそらく二度目に彼に運転を頼んだ時ではないかとおぼろげな記憶をたどる。

公共の交通機関が発達していない農村部を調査するには、あらかじめ車を用意していくのが便利である。そうでなければ、延々と来ないバスを小さな町のバス停でコーヒーをすすりながら待つか、あるいは農村部で奇跡的に車を持っている超大金持ちとなんとか知り合いになることを夢見るしかない。インドでは車だけ借りるという日本でいうところのレンタカーのシステムは一般的ではない。そもそも運転免許を持っていない私には無理な相談だ。だからドライバー付きで車を借りることになるわけだが、それをどこで調達するか。

これはそう簡単ではない。農村部の調査を始めた当時、ほどほどに若い女が一人だけで安全に調査するというのは、インドではかなり緊張を伴うものであった。今もその状況はさほど変わっていないと思う。これには地方差もずいぶんとある。治安の良い南インドでは女性が一人で調査することは容易とはいえないまでも不可能ではないのだが、女性が一人で外を歩くことさえ眉をひそめられるような北インドでは、ずっと難しいだろう。

農村部へ行き始めてからようやく分かってきたのが、ドライバーは単に車を運転してくれる人ではなく、調査者にとっては時にボディーガードのような存在でもあるということだ。前科者のドライバーは果たしてボディーガードとして信頼できるだろうか。強面《こわもて》を連れているのは有利に働くかもしれないが、同行者に襲われてしまっては元も子もない。スレーシュの告白に際して、こういう冷静な計算を私はすべきであったかもしれない。だが、ついついいつもの好奇心が勝ってしまい、「なぜ刑務所に行く羽目になったの？　一体何をしたの？」と私は半ばワクワクして聞いた。

「容疑は殺人だったんですよ」

えー！　こうなるともう心臓がバクバクしてきてしまう。

私の興奮を知ってか知らずか、スレーシュは淡々と答えていく。

「私の妻がね、自殺したんです。首をくくってね。実は前から恋人がいたみたいで。薄々気づいてはいたんです。でもそのうちおさまるだろうと思って、ほうっておいたんです。それがある日突然死んでしまって」

「それは本当に不幸なことだけれど、それならあなたが捕まる理由はないでしょう?」

「彼女の両親が、僕が殺したんだって訴えたんですよ。もちろん彼らも真実はどこにあるのか分かっていたんですけど」

「え?　どういうこと?　彼女の両親は自殺だと分かっていたのにあなたのことを殺人で訴えたの?」

「そうですよ。彼らはそうせざるをえなかったんです。実は後で謝られましたよ。でも分かってくれ、こうするしかなかったんだってね」

もちろん真偽のほどは分からない。私は亡くなった妻の両親からは話を聞いていないのだ。だがそんな濡《ぬ》れ衣《ぎぬ》の罪で刑務所まで行った割に、スレーシュは妻の両親に怒りを覚えているようでもなかった。

スレーシュは裁判の際に裁判官に言ったそうである。「あなたが、僕が殺人を犯したと思うのなら有罪にしてください。そのことであなたを恨むことはしません。でも僕はやってません」と。その堂々とした態度が功を奏したのかどうか分からないが、その裁判官は無罪と判断した。だが、その判決が出るまでの数ヶ月間、スレーシュは刑務所に入れられていたのである。

なぜ、スレーシュの自殺した妻の両親はスレーシュを殺人で訴えたのか？

これはインドの「裁判文化」を知らなければ、理解できないだろう。

インドでは裁判所が処理しきれないほどの民事・刑事裁判が行われている。しかも、そのほとんどが何年もダラダラと引き延ばしにされて、結論が出ていない。ごく明白な犯罪が絡む刑事裁判を除いて、多くの裁判事例は、裁判すること自体に意義があり、勝ち負け（あるいは裁判所の最終判断）はどちらでも良いと思われている節がある。スレーシュの例はその典型的なケースである。妻の両親は、スレーシュが娘を殺したとは思っていない。どうも娘の不倫も知っていたようでもある。そしてスレーシュに殺人の罪を着せられるほど証拠も何もないことも分かっていたはずである。それでも、訴え出た理由は、一言でいえば「メンツ」である。

直接的には死んだ娘の名誉を守るためだ。不倫をしていて自殺したと思われるよりも、夫に殺されたというストーリーの方が名誉が保たれるというのは、女性は貞淑であるべきという文化においては当然なことなのだろう。だがこれは彼女個人の名誉にとどまらない。実際のところ彼女個人のことなど二の次である（第一章の名誉殺人を思い出して欲しい）。重要なのは、不倫し、自殺するような女性がいる家の評判である。彼女に未婚の兄弟姉妹がいれば、彼女の行為は彼らの結婚に確実に影響する。今でも結婚は、個人だけでなく家族全体がその財産や社会的地位を押し上げるための梃子《てこ》のようなものである。だからこそ、家族の名誉を損じることは何が何でも避けなくてはならない。例えば不倫した女性の妹ということが分かれば、嫁にもらってくれる男性の収入レベルは必然的に下がってしまうし、あるいは不当に高額な持参金を要求されるかもしれない。インドの結婚は極めて複雑な計算の上に成り立つが、少しでも不利な点がない方がいいに決まっている。

「だからね、彼らのやったことの意味がよく分かるんです。刑務所に入ったことで数ヶ月間稼ぎがなかったし、母親に死なれてしまった（当時まだ三歳だった）息子の面倒を自分の年老いた母親に頼まざるをえなかったし、いろいろと大変でしたよ。でも特に恨むという気持ちはないです」とスレーシュは物分かりの良い口調で言う。しかし、こんなに穏やかに裁判や刑務所での体験を受け止められる人ばかりではない。

彼が刑務所に行く羽目になった話を聞きながら、私は彼の正直さに驚いていた。いや正直さ以上に、インド社会の理不尽さを冷静に理解し受け入れた上で、自らの生活を向上させることに真正面から立ち向かう潔さに感心していた。最終的に罪に問われなかったとはいえ、逮捕され刑務所に入っていたことを顧客に話すことは、その顧客を失いかねないリスクを背負う。しかし正直に話せば、より強固な信頼関係をその顧客と結べるかもしれない。

スレーシュのようにタクシー会社から仕事を請け負っているドライバーにとって、顧客との信頼関係は重要である。インドのタクシーは、車はタクシー会社が所有している場合もあれば、ドライバーの持ち物である場合もある。いずれにせよ、客側はどういうタイプの車がいいか、何日（あるいは何時間）必要かを会社に伝え、会社はそれに合った車とドライバーを手配する。料金は距離と車のランクによって決められていて、それは会社が違ってもほとんど変わらない。このようなシステムにおいては、ドライバーは顧客に気に入られれば、次もあのドライバーで、とご指名が入るし、あわよくばタクシー会社を通さず直接仕事が入ってくるかもしれない。そうすればタクシー会社が天引きするコミッション（手数料）を自分のポケットに入れることができる。

顧客との信頼関係は、仕事を確保することだけにとどまらない。後述するように顧客は、誰かを紹介してもらったり必要な時に借金をお願いしたり、さまざまなサポートを得る後ろ盾となりうる。国家による社会保障がほとんどないインドにおいて、こうした個人的な信頼に基づいた関係性は何にもまして重要である。

スレーシュほどそのことをよく知っている人はいないかもしれない。インフォーマルな関係こそが財産であることをよく認識し、誰とそのような関係を築いていくか、冗談ばかり言う明るい性格の下で冷静な計算をしている。彼はベンガルール市で「タタ・インスティテュート」と呼ばれ親しまれている超エリート校、インド理科大学院（IISc：Indian Institute of Science）の教授たちからよく仕事を受けていた。そのため家賃が少々高くとも、

ＩＩＳｃのそばにあえて住むようにしていた。私がスレーシュを紹介されたのも、ＩＩＳｃの敷地内にある国立高等研究所（ＮＩＡＳ：National Institute of Advanced Studies）の教授を通じてであった。

第三章で紹介したヒンドゥー僧院とその長であるグルのフィールド調査に出かけるたびに、私はスレーシュをドライバーとして指名するようになり、すぐに直接彼と契約するようになった。彼は安全運転を徹底する優秀なドライバーであるばかりでなく、どこへ行ってもすぐ友達を作り、打ち解ける明るい性格の持ち主であった。私は彼のこの性格にずいぶんと助けられている。彼はすぐに私の調査内容を理解すると、私がインタビューを行っている際に、他の村人と話をしたり、グルのドライバーと仲良くなったりして、私が聞けなかった「裏話」をよく仕入れてくれた。私が建前の話だけを聞いてそれをすっかり信じていたりすると、後からそっと「マダム、実は僕が聞いたところによると」と私の間違いを指摘してくれる。今やスレーシュなしではフィールド調査を行うのが難しいほど、我々はチームのようになった。もはや私にとってスレーシュは単なるドライバーではなく、仕事の相棒なのである。

コネと機転

ある日、スレーシュが言いづらそうに借金の依頼をしてきた。それまで使ってきた三列シート七人乗りのミニバンから四人乗りのセダンに買い替えるのだという。本当はミニバンを売って頭金を用意するつもりだったが、後からミニバンが叔父の借金の抵当に含まれてしまっていることが分かり、頭金を用意することができなくなったのだ。できれば五万ルピー（約七万五〇〇〇円）貸して欲しいという。私にはそもそも、観光客がツアーに使うのに便利なミニバンから小型車に乗り換える意味が分からなかった。

スレーシュの説明はこうだ。ベンガルールはＩＴ企業が多いから市内でタクシーを利用する客がもっと増えるだろう。だから市内を回るのに便利な小型車に替えるべきだと考えている、と。

結果的にスレーシュの読みは当たっていた。だが当時の私は半信半疑であった。五万ルピーは安月給の研究者の身では、おいそれと渡せる額ではない。インド庶民の金銭感覚では七〇～八〇万円くらいの大金である。私はかなり文句を言いながらなんとか金を調達してスレーシュに渡した。後で聞いたところによると、スレーシュはＩＩＳｃを退職した物理学の教授からも同じ額の金を借りたらしい。その時の様子をスレーシュはこう語った。

「教授の家に頭金の一部を借りたいと頼みに行ったのですよ。そうしたら、いくら必要かと聞かれて、五万ルピーと言うと、机の上にあった封筒を何も言わずに渡してくれて。いつ返すのかとか、何も聞かないんですよ」

スマートである。私は金を出し渋った自分を大いに反省した。

スレーシュは我々から借りた一〇万ルピーを頭金にして、トヨタの新車を購入した。この車を使ってスレーシュはさらに収入を増やしていくのだが、それは後で詳しく説明したい。スレーシュが、絶妙なタイミングで車を買い替え、金儲けの機会を逃さなかったのは、それまでに築いた信頼関係のおかげである。


インドでは毎月定額の給料をもらい、年金や医療保険などの社会保障もしっかりしている会社に勤める人の割合はごくわずかである。だからどんなに安月給であろうと公務員になりたいと思う人が多い。カンナダ語では、収入の安定している人のことを（あえて直訳すると）「あの人はジョブ（job）にいます」と表現することがある。なんとも不思議な表現だが、これはその人が大きな会社や政府といった、いわゆる「フォーマル・セクター」で仕事をしているということで、安定した収入があり、生活に困ることのない人であるということだ。インドでは一度職についてしまえば、解雇されることは滅多にない。正規雇用の労働者の権利が強く守られているからである。

政府や大会社以外にももちろんさまざまな仕事があり、人々はそれぞれの方法で収入を得ているわけだが、一体こうした人々がどこからいくら給料を得ているのか、実は政府はほとんど把握していない。そもそもインドでは労働者人口の一〇％程度の人々が収入の申告をするが、実際に所得税を払っている人は人口全体の一％程度といわれている。大雑把な見方をすれば、それ以外の人々がいくら収入を得ているのか正確には分からないことになる。

こうした政府が把握していない家族経営の商店や道端の食堂、小さな町工場などはすべて「インフォーマル・セクター」と呼ばれ、この分野が生み出す経済活動が「シャドウ・エコノミー（影の経済）」である。影の経済において、政府に申告すべき収入を隠している人、売春や麻薬販売などの犯罪行為によって得られた金など、明らかに違法なものもある。しかしインフォーマル・セクターにいるのは、ほとんどはスレーシュのような正直で働き者の貧しい労働者たちで、彼らがなんとかやりくりしている生活は、政府の統計にははっきりと現れない経済の領域なのである。

スレーシュはこのインフォーマル・セクターにおいて、学歴もコネもないところから自らの機転だけで生活レベルを上げてきた人である。彼の両親は、西ガート山脈南部に位置するコダグ県（かつてはクールグと呼ばれた）にあるコーヒー農園の単純労働者であった。元々は王宮で有名なマイスール（マイソール）市近くにあるハサン県出身のクルバ（羊飼い）・カーストであったが、貧しさゆえ安定した収入を求めて農園労働者になったという。スレーシュの父は農園で働く傍ら、密造酒を造って地元のダリトたちに売ったり、仲間に金を貸し付けたりして、なかなかやり手だったらしい。インフォーマル・セクターのグレーゾーンの中では、少しグレーの濃度を上げることが成功への道の一つである。スレーシュはこの父をずいぶんと尊敬していて強い愛情を持っていたというが、父は突然家族を捨てて、若い女性と別の家庭を作ってしまった。スレーシュは中学を中退し、母と姉と一緒に仕事を求めてベンガルール市に出た。彼はまだ一四歳であったが、なんとか仕事を見つけ、鉄工所で働き出した。

「鉄工所での仕事は大変だったけど、まだ若かったし、少しでも金を稼げるのが楽しくてね。残業すると残業代が出たので、友達と競争するみたいに長時間働きましたよ。まあ、残業代といっても当時一ルピーとか二ルピーとか余分に稼げる程度なんですけどね」

「月にどのくらい稼げていたの？」

「一〇〇〇ルピー（当時の為替レートで換算しても三〇〇〇～四〇〇〇円程度）そこそこでしたよ」と言って笑う。

「それじゃあ、生活できないでしょう？」と聞くと、「まあ母親も金持ちの家で使用人として働き出したたし、姉は縫製工場で働いていたので、なんとかやっていけました。でも何年勤めても給料が変わらないので、少し焦りだしたのです。そうしたら友人がドライバーの仕事を始めたので、自分もやってみようと思って免許を取って仕事を始めたのです。ドライバーの仕事に移ってから収入はすぐに数倍になりました。今でも鉄工所で同じ仕事をしている友人がいますが、給料はいまだに五、六〇〇〇ルピーですよ」と。

良いタイミングでスレーシュは鉄工所の労働者から運転手へとステップアップしたのである。さらに彼の賢いところは、元々働いていた鉄工所との関係を断ち切ってしまわなかったことである。彼は鉄工所付きの運転手になり、さらに鉄工所のオーナーに気に入られ、オーナーの送迎を時々受け持つようになった。

ある日、オーナーの家で祝い事があり、使用人全員に美しい箱に入った菓子が配られた。スレーシュも一箱もらって家に帰ると、同じ箱がすでにテーブルの上に載っているではないか。驚いて母親に尋ねると、働いている家でもらってきたという。なんと母と息子は偶然にも同じ家で働いていたのである。現在六〇代前半のスレーシュの母親は、鉄工所のオーナーの年老いた両親の介護を一手に任されていた。彼女は二人が亡くなるまで献身的な介護をしたらしい。このことが認められて、今はこの家では特に仕事はないにもかかわらず、毎月給料が支払われている。そして今でも毎日この豪邸に通い、他の使用人の手伝いをしながら、のんびりと時間を過ごしている。オーナーは彼女が死ぬまで給料を払い続けると約束してくれたらしい。現在受け取っている給料はいわば個人から個人への年金のようなものだが、この収入のおかげで、スレーシュは息子をベンガルール市の中でも有数の高級住宅地であるサダーシヴナガラの私立学校に通わせることができている。

「腐敗・汚職行為の必要性」

国際的に著名な科学技術社会論（ＳＴＳ）の研究者であり、一般には新聞や雑誌などでの辛口のコラムニストとして知られているシヴ・ヴィシュワナーサン教授のコラムで、おそらく最も有名なのが「腐敗・汚職行為の必要性（The necessity of corruption）」（『Seminar』誌、二〇〇八年一〇月号）ではないかと思う。その中でヴィシュワナーサン教授は、悪名高きインドの腐敗・汚職行為（corruption）とは、物や人に貼ることのできるタグやレッテルではないと主張した。つまりこの人は腐敗しているがあの人は清廉であるとか、これは不正行為であれは違うとか、個々に判断し識別できるものではないということだ。腐敗・汚職行為は白黒の黒の方ではなく、グレーでしかない世界を渡り歩くための知恵のようなものである。

ヴィシュワナーサン教授は、インドの腐敗・汚職行為を理解するためにその性格を列挙している。ちょっと長いリストだが、引用したい。直訳しても日本の読者には分かりにくいと思われるので〈 〉内に意訳を足した。

- すべては交渉可能である〈交渉なしには何も始まらない〉。
- 障害は誰かが乗り越えるために〈わざわざ〉作られる。
- すべての規則は〈腐敗・汚職行為を生み出す〉好機となる。規則が多ければ多いほど、好機もまた大きくなる。
- すべての改革はルール・ゲーム〈駆け引き〉をするための試み〈に過ぎない〉。
- 決してイエスと言わないこと。決してノーとも言わないこと。思いがけない好機はその間にある。
- 透明性〈トランスペアレンシー〉は幻想である。トランスペアレンシー・インターナショナル〈世界各国の腐敗を指数化して発表している著名な国際NGO〉は、さらに大きな幻想である。
- 自由主義の西洋社会が決して認めないものが二つある。〈個人の〉財産への攻撃と腐敗の擁護だ。

- 腐敗とは開かれた社会（an open society〈しばしば西洋の民主化理論で理想とする社会〉）のことではない。腐敗とは社会における複数の扉（openings）のことである。
- 腐敗とは是認されていない専門知識である。したがって、支払いは二度なされなければならない。一度目はその専門知識に、二度目はそれが正当に評価されていないことに。
- 腐敗は、延期こそが金を生むと知っている。しかし延期しすぎてはインフレを引き起こしてしまうことも知っている。
- 腐敗は、あなたに権力があることを必要としない。ただあなたが権力を持つ誰かを知っていることを必要とするだけである。
- 大臣ができることは、彼の個人秘書でもできる。おそらく個人秘書の方がよりうまくやるだろう。
- 腐敗した社会にとって、迷宮は天国である。
- 私はワイロを支払わない。私は誰かを知っている誰かを知っているだけである。
- 腐敗は、ルールは二度作られることを教える。一度目はルールを作った人によって、二度目はそのルールを応用した人によって。

・腐敗とは財産に関するルールのことではない。腐敗とは財産としてのルールのことである。

このリスト、インドで生活したことのある人ならば、クスッと笑みがこぼれてしまうだろうが、逆にインドに縁の薄い人からすれば、しかも規則を守ることが大好きな方であればなおさら、こんな恐ろしい社会でどうやって生きていったらいいのかと怯《おび》えてしまうに違いない。私自身、インドに暮らし始めた最初の一年目は大いに戸惑った。滞在許可証を地元の警察署で受け取るのに一苦労（というより丸々一年待たされた）。日本から送られてきた小包を受け取るために郵便局へ行くと、母が送ってくれた日本の菓子や食材はすでに郵便局員の間で取り分けられており、私にはその残りを渡される。それが嫌なら袖の下を払うよう要求された（最近では郵便局員もそれなりの給料をもらっているので、小包を受け取るぐらいでワイロを払う必要はなくなった）。

新進気鋭のインド史研究者の方とインドのワイロ文化についておしゃべりしていたら、

「そんなもの、こうやってさっと渡せばいいんですよ」と慣れた手つきで教えてくれた。さすが！　と感心したものである（誤解を生じないように追記しておくと、この方はすこぶる真面目で誠実な方である）。

現代の日本人からすると袖の下を渡すことには良心の呵責《かしやく》を覚えるし、渡さざるをえない状況に追い込まれたことに怒りも感じるだろう。しかし腐敗・汚職行為とは、心の問題である以上に、実は身体技法の問題でもある。正しいタイミングで多すぎず少なすぎない額をいかにスマートに手渡せるか、これは相当の場数を踏んでようやく身につくものである。

だが真の腐敗文化とは、お金を渡せば良いというものではない。もちろんばらまくほどの金があれば、事はずいぶんとスムーズに進むであろう。しかし腐敗の文化においては、お金よりも「誰を知っているか」、あるいは「誰かを知っている誰かを知っているか」（ヴィシュワナーサン教授のリストを見返して欲しい）が重要だ。知識とコネこそが真の力である。

スレーシュは、中学中退のドライバーに過ぎないが、インド社会で生き抜くための知識とコネを獲得し、グレーでしかない社会をそれでも誠実に生きることに成功している。

ウーバーとインドの情報革命

二〇一六年初頭、スレーシュは顧客をツアーに連れ出す仕事を続けつつ、ウーバー（Uber）というスマホのアプリによる配車サービスのドライバーとしても働き始めた。

アメリカ西海岸発祥のウーバーがインドに進出したのは二〇一三年だが、スマホの普及が当時それほど進んでいなかったこともあって、インド人がこのサービスを使うことはほとんどなかった。だがインド最大手の通信会社リライアンス・ジオが4Gネットワークを、四ヶ月間の通信料無料キャンペーンとともに二〇一六年九月に開始すると、都市の若者を中心にスマホが一気に広まった（無料キャンペーンはさらに翌年三月末まで延長された）。そしてスマホをすぐ使いこなすようになった都市のミドルクラスや若者を中心に、ウーバーと後発のライバルであるオラ（Ola：ソフトバンクから資金援助を受けたインド発の配車アプリ）は日常生活に欠かせないサービスとなった。ここでもスレーシュは先見の明があったということだ。しばらくすると顧客をツアーに連れ出すことをやめ、朝から晩までウーバーを使って働くようになった。

ウーバーが画期的なのは、誰もがすぐにタクシー業を始められる（逆にいえば始められてしまう）ことである。Airbnb などのいわゆる「民泊」のタクシー版と考えてもらえば分かりやすいかもしれない。これは日本的にいえば「白タク」が一気に街に大量に出現することである。当然のことながら、ウーバーは、ヨーロッパの大都市などでは、タクシー組合などから多くの反発にあっている。フランスでは大々的な抗議デモが起きた。日本でウーバーが今のところそれほど普及していないのも、タクシー業界からの反発や法規制などのためであろう。

しかしインドでは、コルカタ（カルカッタ）やムンバイなどのごく一部の大都市を除いて、流しのタクシーというのは存在していなかった。人口一四〇〇万人の大都市であるベンガルールでも同様で、流しのタクシーの役目を果たしているのは三輪バイクに座席とおざなりの雨よけがついたオートリクシャーである。タクシーは前もって予約し、市内四時間、八時間などと時間指定して利用するか、長距離移動の際にドライバー付きの車を借りるか、どちらかであった。ウーバーやオラが新しい経済活動を作り出し、そこにスレーシュのようなドライバーたちが大量に流入したのである。

ウーバーは、現地の言葉を話せない人にとっては非常に便利である。何しろ値段交渉も行き先を運転手に直接伝えることも何もしなくていいのだから。ほとんど儀礼のようなかつての交渉のやりとりを思い出すと可笑《おか》しくなってしまうくらいだ。ベンガルールではメーターを使う正直なオートリクシャーが例外的に多いが、他の都市では、まず自分の行き先まで大体いくらかかるかの事前の知識が必要とされる（これは現地の友人にあらかじめ確認しておく）。そしてその知識を頭に入れた上で、その半分くらいの額で交渉を始める。向こうは当然三倍くらいの額を言ってくるので、喧々囂々《けんけんごうごう》のやりとりをし、最終的に思っていた額より少し多いくらいでよしとする。お互いの知識と語学力と、むしろ演技力とでもいうべき交渉力とによって、ようやく決まる運賃。それすらも最後に目的地に着いて支払いが済むまで確かではない。これを毎回やるのはなかなか体力のいることである。

こうした知識と言語と身体技法とが複雑に絡み合って成立していたコミュニケーションを、コンピューターのアルゴリズムはいともやすやすと無用の長物にしてしまったのである。値段は行き先までの距離と車のランクと空車のあり具合で決定する。ここに交渉の余地はゼロである。インドの腐敗文化が誇る「すべては交渉可能」という原則はここでは通用しない。コネがたくさんある人でも、今空港に降り立った外国人でも、行き先が同じであれば同額である。値段は感情を持たないアルゴリズムによって決められるのだから。

ではスレーシュのような個人的なスキルに長《た》けたドライバーがこれまで築いてきた顧客との信頼関係はどうなったのだろうか。

これは客がドライバーを評価するランクづけに置き換えられた。ここではドライバーも客を評価できるので、双方向的であり、平等であるともいえる。だが、スレーシュによれば、アプリの使い方をきちんと理解しない客が多く、自分がいるところと全然違うところを指定し、その上で車が遅れてきたことに文句を言う客や、車が着いてもまだ家で食事をしていて延々と待たせる客が多いという。待ち時間も料金に加算されるが、それを知らず腹を立て、ドライバーに低い評価を与えたりするらしい。また行き先をきちんと指定しない客が多いなど苦労は絶えない。最大五つ星でスレーシュはなんとか四・七を維持しているが、最初は四つ星すらもらえなかったらしい。では客の評価を下げればいいかというと、客の方は評価が下がれば携帯電話の番号自体を変えてしまうので、全く意味がないのだという。

さて、ウーバーが引き起こした情報革命は、単にドライバーと客双方の利便性を高めたということにとどまらない。真に革命的であるのは、これまでスレーシュのような都市の労働者階級は得ることができなかったような収入を可能にしたことである。ウーバーの情報革命は同時に、労働革命でもあったのだ。

ウーバーのようなスマホのアプリを使った配車サービスの値段設定はそれほど高くない。家族四人で一台を利用すれば公共のバスよりも安いくらいである。だから客からドライバーに支払われる額は大して多くはない。しかし、ウーバーやオラは、これに加えて、ドライバーに「収入保証（income guarantee）」を支払っている。この金額設定は一定ではないのだが、二〇一七年当時、大体一日に一八回客を取れば、一日の収入として約六五〇〇ルピーが保証され、そこから税金や手数料などが引かれ約四五〇〇ルピーがドライバーの銀行口座に振り込まれた。四五〇〇ルピーは、円に換算すれば約七〇〇〇円だが、インドの物価では七万円くらい支払われている感じだろうか。ウーバーは、学歴もコネも財産もないドライバーが中間層並みに稼げる機会を突然持ち込んだのである。もちろん外資系企業や著名なＩＴ企業で働いているエリートは月に一〇万から二〇万ルピーくらいはもらっているだろう。インドでは給与の格差が激しいので、一概にどのくらいが平均の給料とは言い難い。しかし農村部で男性の単純農業労働者に支払われる日当の相場が四五〇ルピー（二〇一六～二〇一八年頃のカルナータカ州での相場、女性は約半額）であることを考えると、四五〇〇ルピーは都市労働者にとって大金である。

都市労働者とＯＢＣ

前述したように、スレーシュはクルバという伝統的に羊飼いを職業としていたカーストの出身だ。クルバは、「その他後進諸階級（Other Backward Classes）」に入るカーストである。ＯＢＣと略される「その他後進諸階級」とは、公的なカテゴリーで「指定カースト（ＳＣ：Scheduled Castes）」と呼ばれる旧不可触民（ダリト）でも、「指定部族（ＳＴ：Scheduled Tribes）」に含まれるアーディヴァーシーと呼ばれる部族民でもないが、教育度の低いカーストであるとされる。都市の労働者は、ＳＣ、ＳＴ、そしてＯＢＣに属している人が多い。

カースト成員からの票を確保するために、政治リーダーたちは「留保制度」における出身カーストの割り当てを多くすると、よく公約で主張する。だが実際のところ、農村や都市の労働者の中で「留保制度」の恩恵を受ける者はわずかである。事実、多くの有名大学や政府の機関において、低カースト層に留保されているはずのポストは空いたままのことが多い。そのポストにふさわしく、かつ留保制度枠に相当するカースト出身の候補者が集まらないからだ。そもそも貧しいダリトや低カーストの子供たちがどうやって学校に通い続け、大学のレベルまでたどり着くことができるだろうか（第二章の【解説】を参照）。もしそこまで行けるとしたら、彼らはすでにダリトや低カーストの中でも裕福な部類である。これをインド政治ではしばしば「クリーミーレイヤー」と呼ぶ。ダリトや低カーストの出身で留保制度の恩恵を受けられるのは、彼らの中でもトップ（ケーキでいえば一番上のクリームの部分）の人たちだけだということなのだ。

スレーシュの属するクルバ・カーストは、カルナータカ州のOBCの中でも最大人口を誇る。クルバの中にもいくつものサブ・カーストがあり、彼はその中でも上位のクルバ・ガウダ（ガウダとはリーダーのこと）であることを少し誇りに思っている節がある。時には自分のカーストはガウダだと言うくらいである。「ガウダ」とだけ言うと、一般的にはオッカリガ（農民カースト）のことで、カルナータカ州南部では土地持ちで政治力の強い「支配カースト」である。オッカリガは約一五％の人口比を背景に、もう一つの支配カーストであるリンガーヤト・カーストとともに、インド独立後のカルナータカ州の政治をほぼ独占してきた。歴代の州首相はごく数人の例外を除いてほぼこの二つのコミュニティーのどちらかの出身であった。だが二〇一三年に、クルバ出身者が初めて州の首相となった。インド国民会議派というインド政治の中心にあり続けた中道左派政党に属するベテラン政治家シッダラーマイヤである。シッダラーマイヤの首相就任は、もちろんさまざまな政治的駆け引きの末に決まったものだが、カルナータカ州の政治においては支配カーストによる政治の独占が揺るがされる象徴的なターニングポイントであったといえるだろう。

OBCとして留保制度が使えるはずのスレーシュは、カースト証明書（カースト・サーティフィケート）すら持っていない。これまで必要とする機会がなかったからである。それに自称「アンチ・カースト制度」の彼としては、自分の出自を利用することに抵抗があるようである（彼の経済状況を考えれば、利用して当然なのだが）。しかし、スレーシュが小学生の息子の教育に非常に熱心だからこそ、私は何度もカースト証明書を取るように言っている。彼自身には意味がなくとも、将来、スレーシュの息子が留保制度で得することがあるかもしれないからだ。

カースト証明書という書類は、逆説的ではあるが、公的な書類であるがゆえに、インドの腐敗文化に属するものである。繰り返しになるが、インド経済は、家族経営の商店や小さな工場などのインフォーマル・セクターと、政府や大企業、大規模工場などのフォーマル・セクターという二つの世界があると理解される。

スレーシュのような個人タクシーはインフォーマル・セクターに属する。このインフォーマル・セクターにとどまる限り、カースト証明書は必要ではない。だがカースト証明書を取ろうとした瞬間に（つまりフォーマルな方向へ向かおうとした瞬間に）、フォーマル・セクターの真の姿が現れる。インフォーマルな生活世界と国家や大企業といったフォーマルな空間との境界にこそ、真の腐敗文化は花開くのである。そして留保制度は、実際にそれほど多くの人々が恩恵を受けていないとしても、フォーマルな空間に入るための「扉（オープニング）」なのだ。

カースト証明書はまさにその「扉」を開けるための最初のステップである。

「カースト証明書を取得するには、少なくとも数千ルピーかかるでしょうね（ちなみにこれは口を利いてもらった人たちに払う手数料という名のワイロである）。金もそうですけど、時間もかかる。おそらく四、五日はこちらのオフィス、あちらのオフィスと駆けずりまわらないといけない。その間、全く仕事はできないわけだから、そのロスを考えると腰が重いです」とスレーシュは言う。

これは典型的なインドの行政による、いわば人工的に作られたハードル（障害）である。そして障害があればあるほど、腐敗は大きくなるのである。すべての行政手続きがスムーズにいってしまったら、どこに金を生み出す好機が生まれるのか。「障害は誰かが乗り越えるために〈わざわざ〉作られる」（ヴィシュワナーサン）のだから。

教育という投資

都市で働くダリトやＯＢＣの労働者たちが、生活に少し余裕が出てきた時にまず行うのは子供を私立学校へ通わせることである。農村部に土地を持ち、そこからの定常的な収入に支えられている高カーストに比べ、そうした資産を全く持たないスレーシュのような労働者にとって、子供に自分たちよりもマシな生活を望むとしたら、教育に投資するしかない。

近年、質の怪しい私立学校が雨後の筍《たけのこ》のように出現している背後には、こうした低カーストの教育熱がある。しかし教育は、フランスの社会学者ピエール・ブルデューが明らかにしたように、階級を再生産する最も有効なシステムでもある。裕福な家庭は子供たちの教育に惜しみなく金を使うことができ、そうした子供たちは親と同じように高学歴となり、高収入な職に就くことができる。こうして階級は再生産されるのである。そして自らの階級をそれとなく分からせる、ちょっとした好みや趣味の違いをさりげなく示すことで、再生産システムに横入りしようとする成り上がりを冷ややかに侮蔑して排除する。

インドのような高度に階層化された社会では、当然のことながら階級の再生産は厳格に行われる。本来、教育とは、貧しい出身であっても学を積むことによって、階級や社会的地位を変えることができるという社会的流動性（ソーシャルモビリティー）の要であったはずである。

例えば私の曽祖父は宮崎県の貧しい漁村の出身であったが、勉強ができることを認められ、一四歳で東京に出ると同郷の政治家の書生となり、東京帝国大学（現東京大学）に進むことができた。子孫からするとそれだけ成功したのに全く資産を残せなかったのはどういうことかとも思うが、彼の娘である私の祖母が東京の女学校に通い、都市の知的中産階級としての恩恵を受けられたのも、元はといえば曽祖父が高等教育という稀なチャンスを得たからである。こうした階級の飛び越えを教育は可能にしてくれるのである。だからこそ、おそらく数億人のスレーシュたちが子供たちの教育に躍起になるのである。

スレーシュが他の都市の労働者たちと少々異なるのは、彼自身まともな教育を受けていないのにもかかわらず、ベンガルールでどこの学校が優秀な学校とされ、良い大学に進学するのに有利であるか、そうした情報を賢く集めることができたことである。ＩＩＳｃの教授たちを学会やら調査ツアーやらに連れていく中で、彼らが子供たちをどの学校に通わせているのか、学費はいくらなのかなどの情報を集めた。そうして、中央政府に雇われている公務員の子供たちのために作られたケーンドリヤ・ヴィディヤーラヤという学校が学費も安く、生徒の学業レベルも高いことを知る。

先述のスレーシュに車の前金五万ルピーをポンと手渡した教授は、スレーシュが彼個人の運転手であるとわざわざ手紙を書いてくれ、彼の息子がケーンドリヤ・ヴィディヤーラヤに入学できるようにいろいろと手配してくれたようだが、結局ダメであった。それでもめげず、スレーシュは高級住宅地にあるバラモン僧院の経営する有名私立学校に入れようとするが、ここでは面接にも呼んでくれなかったらしい。実は私は以前、この私立学校を調査したことがあり、その時校長が語った言葉を思い出した。この学校では幼稚園に入る三、四歳の子供に面接試験を行っているのだが、「そんな小さい子供が賢いかどうかなんて分かりますか?」と聞くと、彼はこう答えたのである。

「子供だけ見ているのではないのです。子供と一緒に来ている母親を見ます。彼女の教育レベルはどの程度か、どのくらい英語を喋ることができるかなどをね。母親は子供の教育にとってとても重要です。なにせ母親が子供と一番長い時間過ごすのですから」

やはりここでも「再生産」なのだ。実の母親は自殺したばかり、父親は中学中退のドライバーでは、スレーシュの息子はとてもこの学校には入れない。実はこの私立学校はそれほど学費も高くなく、膨大な寄付金を要求することもない。それでも中等教育修了試験の結果で常に上位に入る有名校である。ここに通う子供たちとその親たちにインタビューしたが、ほとんどが高カーストで中間層の家庭であった。

子供の学校選びの話になると、スレーシュはいつも熱くなる。

「少なくとも、平等にチャンスが与えられるべきですよ。そこから頑張るかどうかはそれぞれの責任でしょう。でもそもそも入学させないなんて、ひどすぎる」

スレーシュの息子は結局、高級住宅地サダーシヴナガラにある仏教系の私立学校に行くことになった。ここは、ビジネスで成功した改宗仏教徒（彼らのほとんどは旧不可触民のダリトである）の経営するイングリッシュ・ミディアムと呼ばれる、英語で授業が行われる学校で、研究者の友人に聞いてもなかなか評判が良いところである。後で聞いたところによると、スレーシュは旧知の鉄工所のオーナーがここの理事をしていることを探り出し、彼に頼んで入学を許可してもらったのだという。

スレーシュがウーバーで稼ぎ始めた当時、息子のシュリーシャントは小学校三年生だった。スレーシュに似て利発そうで、人懐っこい大きな目をしている。私とは綺麗な英語で話す。「ずいぶんと英語が上手じゃない？」とスレーシュに言うと、「そうなんですよ。でも家では、僕たちが理解できないのを知っているから、カンナダ語しか使わないんですよ。学校ではリーダー格みたいでね。クラスのまとめ役らしいです。どうですか、ちょっと見にはいいとこのおぼっちゃんみたいでしょう？」。

真新しいTシャツを着て、しっかりした体格のシュリーシャントは、裕福な中間層の子供にしか見えない。スレーシュと車に乗っていると、親子というよりも、お金持ちの子供とお抱え運転手のように見えるかもしれない。

スレーシュの「チェンジ」

ある日、私はスレーシュの二番目の妻に呼ばれた。女神ガウリーの儀礼を家で行うから私にも参加して欲しいということだった。彼らの住まいは、バンガロール大学の経済学部教授の大きな家の一角で、その建物には他に三家族ほどが間借りしていた。スレーシュが借りている部分は、四畳半ほどのリビング・ダイニングと、五畳ほどの寝室、それに小さなキッチンと風呂場がついており、全体で約三〇平方メートルほどだろうか。ベンガルールの労働者階級の家では平均的な広さである。ここにスレーシュ、彼の母、妻、息子の四人が暮らしているのである。スレーシュの母と息子はリビングで寝ているらしい。

狭いリビングルームは横に長く、右端にはどうやら風呂場が狭くて置くことのできない洗濯機、そして私の目の前には五〇インチの薄型テレビが置かれていた。女神を祀った祭壇は左端に鎮座していた。これだけでこの部屋はほぼ一杯であった。テレビの前に置かれたプラスチック製の椅子に座ると大型テレビまでの距離はほとんどない。そしてスレーシュが契約している安いケーブルの通信量だと、映像は無駄に拡大され、ひどく粗い。

「ずいぶんと大きなテレビね」とスレーシュに言うと、「割引をしていたんで、ちょっと大きすぎるかなと思ったんだけど買ったんですよ」と恥ずかしそうに答える。

洗濯機もインドではなかなか普及せず（第二章でも触れたが、洗濯機を買うよりも毎日洗濯してくれる使用人を雇う方が安かったからである）、ようやく最近になってミドルクラスの間で使う人が増えている電化製品である。こんな小さい家に洗濯機と大型テレビがあるということは、スレーシュの収入が増えてきていることの証拠でもあるが、同時に、スレーシュの生活のアンバランスさと脆弱さを感じざるをえなかった。

特にすることもないので、大型テレビに映るカンナダ語ニュースを見ていた。そこでは当時人気が出始めていた若手映画俳優ヤシュとやはりカンナダ語映画で人気のある女優ラディカ・パンディットとの婚約のニュースが大々的に報道されていた。

実はヤシュとラディカの婚約は、単に人気のある映画俳優のカップル誕生ということ以上の意味があり、むしろそのことにスレーシュのような労働者階級の人々は興奮していた。ヤシュとニックネームで呼ばれている青年は、マイスール（マイソール）市の育ちで、彼の父は市バスの運転手だという。彼らのカーストは知られていないが、ＯＢＣに属する低カーストであるといわれている。一方、ラディカ・パンディットの方はベンガルール市の高カーストが住むことで知られる（そして私自身がその端っこの安アパートに住んでいた）マレーシュワラムのバラモンの出身（彼女の苗字《みようじ》パンディットは伝統的な宗教学者の意味）で、市内の有名私立大学の卒業生であった。

つまりカーストも社会経済的なバックグラウンドも全く異なる二人なのである。だから

インタビューに同席するスレーシュ。（著者撮影）

こそ、この婚約のニュースはセンセーショナルなのだ。こうした一昔前であれば考えられなかったことを、現代のインドはごく一部であるとはいえ、可能であることを見せてくれる。ヤシュは低カーストの労働者階級出身だが、大学で演劇を学び映画界で認められた。そして高カースト出身の美しい女性と結婚するのである。

スレーシュは、そうヤシュの生い立ちなどを熱心に説明してくれた。

「ヤシュはチェンジを成し遂げたのですよ」

この「チェンジ」とは、とても埋まり

そうもないように思われる階級・カーストの隔たりを奇跡的に乗り越えることである。バスの運転手の息子が、映画監督や政治家の子供など、生まれた時から恵まれた環境にいる若手映画俳優たちの間で頭角を現すことが、インドのような社会でどれくらい難しく稀なことであるか――。

そしてこの「チェンジ」は、映画スターになるような稀な幸運と才能がない限り、貸し借りをしながら人脈を作り、賢く時代の変化を読み、その変化の波に乗り遅れないように素早く行動する機転がなくては成し遂げられない。それでも「チェンジ」はほぼ不可能に近い。だがウーバーのような突然インドに舞い降りたプラットフォーム企業が、スレーシュのような立場の人々にも、もしかしたら「チェンジ」は可能かもしれないと思わせた。

しかし、「チェンジ」を本当に成し遂げるのはスレーシュではない。

ヤシュの甘い顔をテレビで見ながらスレーシュは言った。

「彼（ヤシュ）は私の息子ですよ」

そして誤解を生む言い方だと思ったのか、困ったような顔で私を見た。

自分は受けることができなかった、安くはない教育を息子に与えているスレーシュ。ミドルクラス並みの生活を、脆弱な形ではあるとはいえ享受している息子。「チェンジ」できるかもしれないのは息子だということをスレーシュは言いたいのだ。

私はただ「本当にそうだね」とうなずいた。

【解説：IT産業とカースト】

インドといえばIT産業と思われる方も多いだろう。インドといえば貧困というのが、私がインドに行き始めた一九九〇年代ぐらいまでの一般的なイメージだったから、ずいぶんと地位向上したものである。インドでIT産業が盛んになった理由として、全く新しい産業なのでどんなカーストの出身者でも活躍できるから、という理屈を日本でも何度か耳にしたことがある。実際インドのIT産業自体が「カーストなどの出自とは無関係に個人の能力のみが評価される」と自己定義してきたのだから、日本人がそう思っても不思議ではない。

では本当に低カーストやダリト出身の人たちもIT産業で活躍しているのだろうか？

インドのIT産業は、一九八〇年代にアメリカのシリコンバレーで働いていたインド人ソフトウェア技術者たちが母国に戻り、アメリカの企業の下請け的な仕事を安価で請け負い始めたことに始まる。一九九〇年代初頭、インドが自由主義経済へと舵を取り始めたことによって、ＩＴ産業は飛躍的に発展した。一九九〇年代末に世界を怯えさせた二〇〇〇年問題――多くのコンピューターが西暦の年表示を下二桁のみにしていたため、二〇〇〇年になった瞬間にコンピューターの誤作動が世界中で生じるのではないかといわれていた――の処理がこうした下請けのインド企業に任されたという噂を聞いたことがあるが、その真偽は定かではない。

ＩＴ産業はこうしたコンピューターのソフトウェアに関わる専門性の高い技術職だけでなく、テレコミュニケーションや、情報技術を用いた金融業、保険、Ｅコマースなどのサービス産業、データ入力やコールセンターといった、いわゆるＢＰＯ（ビジネス・プロセス・アウトソーシング）産業までさまざまなタイプの事業を含む。最近ではＫＰＯ（ノレッジ・プロセス・アウトソーシング）と呼ばれる市場調査、エンジニアリングデザイン、バイオテクノロジー、創薬研究などもＩＴ産業に含める場合もあるようだ。

ＩＴ産業がカースト・フリーで能力主義に基づいた平等な働き場所だという自己イメージは、統計などで証明されてはいない。そもそも、ＩＴ産業内部には出身カーストを聞かれること自体を嫌悪する風潮が根強いと研究者たちからしばしば指摘されている。それには、ＩＴ産業が第二章の【解説】で紹介した留保制度（ダリトや低カースト出身者に職を一定数確保するアファーマティブ・アクション）の導入に強く反発しているという事実が背後にある。ＩＴ産業で働く人たちの多くは、留保制度によって、それまで良い職とされてきた公務員職、さらに高級官僚の職までも低カーストに「不当に」奪われたという感情を持っているのだ。

一方で、アメリカなどからの下請けという側面があることは否めないとはいえ、ＩＴ産業に職を得ればインド人の平均収入の何倍あるいは何十倍にもなる給与を得ることができる。二〇〇〇年代には郵便局長の娘さんがコールセンターで働き出し、初めての給与が父親の給与の四、五倍だったというような話をよく聞いた。つまり高カースト出身者が、留保制度によってそれまで享受してきたホワイト・カラーの職を得にくくなったとしても、自由主義経済の拡張によってより良い職が用意されていたわけである。公立学校の教師や大学教員、公務員の給与は二〇一〇年代以降徐々に上昇し、ＩＴ産業の技術者との差は縮まりつつあるが、それでも後者の方が依然として圧倒的に高額である。自由主義経済の恩恵を最も直接に受けたのは、高学歴・高カーストの中間層なのである。

IT産業の花形であるソフトウェア技術者の出身カーストについては統計資料もなく、また調査することも困難であるという。それでも、少ないサンプル数ではあるがいくつかの社会学的調査が行われている。二〇〇〇年代半ばに行われたインドのシリコンバレーと呼ばれる南インド・ベンガルール市で働くソフトウェア技術者に関する調査（Carol Upadhya, 'Employment, Exclusion and 'Merit' in the Indian IT Industry', Economic and Political Weekly, Vol.42, No.20, 2007）では、一三二人の技術者の出身カーストを聞いたところ、四八％が最上位カーストのバラモンで、先進カーストとも呼ばれる「再生族（バラモン、クシャトリア、ヴァイシャ）」は実に七一％にも上った。親の学歴では父親の八〇％、母親の五六％が大卒以上。技術者の三六％がインドの五大都市（デリー、ムンバイ、コルカタ、チェンナイ、ベンガルール）出身で、二九％がマイスールやプネーのような二級（tier two）と呼ばれる都市の出身であった（最近はプネーもハイデラバードなどとともに人口五〇〇万以上の一級都市に含まれる）。農村出身者はわずか五％であった。

南インドではバラモンの人口比はせいぜい三〜四％、「再生族」を合計しても一〇％程度である。また二〇一一年の国勢調査によると、インドの大学卒業者は八・一五％に過ぎない。そしてインド人の六五％がいまだに農村に住んでいる。

これだけみても、ソフトウェア技術者が高カースト・高学歴の親を持ち、大都市で生まれ育った、非常に限定された特定の集団から輩出されていることが分かる。

直接カーストを尋ねることを巧妙に回避しつつ、彼らに詳細なアンケートやインタビューを行った新しい研究（Marilyn Fernandez, *The New Frontier*, Oxford University Press, 2018）は、ＩＴ産業においても、就職や昇進の際に、カーストや社会階級が重要であることを明らかにしている。

例えばＩＴ産業では就職の時に同業者からの推薦状が必要とされるが、ＩＴ産業に知り合いのいないダリトや低カーストの出身者は、学歴や成績が十分であったとしても、それを準備することは難しい。またＩＴ産業では特に英語力が重視されるが、両親・親戚が皆、英語を喋ることができ、幼稚園の頃から英語で教育を受けている層と、インド諸言語で教育を受けてきた者との間には、単に個人の努力だけでは乗り越えられない壁がある。さらに企業の創業者と同じバックグラウンド（カースト、宗派、出身地域など）の者が昇進の時に優遇される傾向があるともいう。そしてＩＴ産業の有名企業の創業者の多くはバラモンなどの高カーストである。

ＩＴ産業は、カースト・階級などとは無関係に個人の能力・努力を重視するという「メリトクラシー（能力主義）」によって成り立っているといわれてきた。だが実際のところ、彼らのメリトクラシーはカースト・階級のヒエラルキーを再生産することに加担していると多くの研究者たちは結論づけている。ＩＴ産業がダリトや低カーストを優遇する留保制度の導入に抵抗しているのは、彼らが主張するメリトクラシーが軽視され優秀な人材が減ってしまうからではなく、彼らがこれまで享受してきた特権が脅かされるからだと批判されても仕方がないほどに、ＩＴ産業とカーストは深く結びついているのだ。

おわりに

この本で書いた内容は主に二〇〇九年から二〇一七年にかけて行ったフィールド調査に基づいているが、その後、登場人物たちにも、そしてインドにも大きな変化があった。

夫を家族に殺されたカウサリヤは、家族から離れて習慣の異なるダリトたちの間で生活することは難しいのではないかと案じていたが、それは余計なお世話だった。彼女は実家には戻らなかった。今では名誉殺人のおぞましさを訴える活動家となって活躍している。そして二〇一八年一二月、パライと呼ばれる太鼓の奏者の男性と再婚した。パライは村で不幸があった時（つまり不浄が生じる時）にそれを知らせるために鳴らす太鼓で、旧不可触民ダリトの仕事とされてきた。だが近年、ダリト解放運動の象徴として新たな意味を担いつつある楽器である。カウサリヤ自身もパライを演奏するようだ。再婚を伝える新聞記事の写真には、私が会った時の、どこか繊細で折れてしまいそうな風情はもうなかった。健康的で自信に満ちた女性の姿があった。結婚式にはシャンカールの父親も家族として列席したが、カウサリヤの家族は誰も来なかったという。再婚相手はカウサリヤと同じ政治力の強い低カーストのテーヴァル出身であるが、二人がダリト解放運動に関わっていることが許せないのだろう。彼女の命を狙う動きはまだあるともいわれており、心配だ。

アムダー一家は、相変わらず貧乏ではあるが、団地の部屋には二〇一八年末にようやく水道が通った。内装工事も終わり、アムダーが望んだ通り、狭い部屋の壁は赤やピンクに塗られ天井にも何やら装飾が施されている。水道は通ったけれど、風呂場で水を使うと居間まで水が流れてくるらしい。苦労に終わりはない。二〇一九年三月には、アムダーの夫ワスが脳卒中で倒れ、一時どうなることかと思ったが、なんとか回復した。長男のカーティックは中等教育を終えた時に受ける試験で好成績を上げ、公立のカレッジに通っている。数学が得意なので、将来は公認会計士になるつもりだという。彼が会計士になれたら、アムダーたちの生活はずっと楽になるに違いない。

シリゲレ・グルは相変わらず忙しくしている。二〇一六年から四年近く干ばつが続いたこともあり、干上がった貯水池に水を戻す運動を行い、すでに州政府を動かして二つのプロジェクトを成功に導いている。前のグルを真似て、引退を宣言したこともあったが、今のところ信者組織に引き止められている。後継となるグル選びにも選挙制を導入したいと主張しているが、信者たちが納得するかどうか分からない。噂ではシリゲレ・グルの姉の息子が有力候補の一人だということだ。

M・C・ラージ亡き後も、アディジャン・パンチャーヤトの活動は続いている。他の州でもラージの思想を受け継いだ同様の運動が起きているところがあるとも聞く。だがラージが差別を乗り越えるために行った極めて実践的な新しい試みが、正当に評価されているとは思えない。

ラージの息子のプリータムは、二〇一八年五月、愛媛県にある「不耕起・無肥料・無除草」を基本とする自然農法を唱えた故・福岡正信さんの農園（現在は孫の大樹さんが引き継いでいる）を訪れた。憧れの人が生活していた場所に立っていることに彼は非常に感動し、突然泣き出してしまうほどだった。プリータムによってブーシャクティ・ケーンドラは徐々にインド版自然農法の実験場になりつつある。彼は定期的にトレーニング・コースを開いていて、都市部からやってきたバラモンたちと貧しいダリトたちが同じ場所でともに手を泥だらけにして働いている。これは今まで見たことのない風景だ。

スレーシュはしばらくウーバーだけで生活していたが、二〇一八年の後半にはほとんど止めてしまった。ウーバーが運転手に払っていたインセンティブを大幅に減額したことと、農村で職を持たない若者たちが大量に都市に流れてきてウーバーの運転手として働き始め、供給過剰になったことが重なり、ウーバーで働くことの旨《うま》みはほとんどなくなってしまったからである。スレーシュ自身、朝から晩まで休みなく客を取り続けなければならないウーバーの生活にほとほと疲れてしまったようだ。

スレーシュの顧客たちもまた、ウーバーを当初は便利に使っていたようだが、信用できるドライバーを半日あるいは一日雇った方が値段は多少高くても便利で安全だと、またスレーシュを直接雇い始めている。収入減は否めないが、妻も近所の家で家事手伝いとして働き出し、ギリギリだが生活はなんとかなっているようだ。二〇一八年頃、夜遅くに空港からベンガルール市内に向かうと、道路脇に何台ものトヨタの新車が止まっているのが見えた。スレーシュに聞くと、農村部から出てきた若者がローンで車を買い、ウーバーで働き出したものの、高い家賃が払えずに車の中で生活しているのだという。

そして二〇二〇年、新型コロナウイルス（SARS-CoV-2）と名付けられたウイルスが突如世界を席巻し、私はインドへ行くことができなくなった。

二〇二〇年三月二四日、モディ首相は突如三週間の全土ロックダウンを宣言し、すべての公共交通機関をストップさせた。都市に出稼ぎに来ていた人々は仕事を失い、出身の村まで時には何百キロも徒歩や自転車で帰るしかなかった。私はこれで感染が農村部に広がるのではと恐れたが、予想されたほど、感染者数は増えなかった。

これで気を良くしたのか、二〇二一年初頭には、モディや政府の要人たちは「インドは新型コロナを制圧しつつある」とか、インドがワクチン生産の拠点であることから、「インドは世界の薬局である」などと高らかに宣言し始めた。そして何百万もの信者が全国から集まる祭りの開催を許可し、四つの州で州議会選挙を行うことを決めた。

こうした思い上がりと決定的な政治判断ミス、そしてより感染力が高いといわれる変異株の出現で、感染は急速に拡大し、二〇二一年四月、インドはアメリカ合衆国に次いで世界で二番目に感染者数の多い国となった。

大都市の医療は完全に崩壊し、火葬場には火葬を待つ遺体が並べられ、駐車場や公園などが火葬場に転用された。大学のキャンパスにも感染は広がり、私の研究者仲間も数人入院し、私よりずっと年下の友人は三人の幼い子供を残して、発症からわずか六日後に亡くなった。亡くなった人がいない家族の方が珍しいほどの状況だ。

スレーシュもアムダーもそれまでは「大変だけどなんとかなっていますよ」と言っていたのに、今回の感染の波には相当参っているようだった。プリータムによれば、村でもすでに多くの人が感染し、何人か亡くなっているという。ただ、検査もできず、高熱が出て咳《せき》が止まらず、町にしかない病院にたどり着く前に亡くなる人が多いという。

インドの民衆はこれまでも政府による強硬政策の無茶苦茶ぶりに耐えてきた。二〇一六年末に突如行われた「高額紙幣廃止（デマネタイゼーション）」では、少額紙幣や硬貨までもが市場から消え、日常生活は困難を極めたにもかかわらず、市井の人々はブラックマネーを消滅させるというモディの言葉を信じ、じっと耐えた。そこには大きな改革に参加しているという静かな興奮すらあった。だが、コロナ感染の爆発的な拡大による身近な人々の死や苦しみを、インドの民は素晴らしい未来のための犠牲とは受け取れないだろう。

インドは世界最大の民主主義国家であり、一九四七年の独立以降、大きなクーデターも起きていない。近年では中国に対抗しうる大国としての自意識を高めているが、庶民の生活世界において政府は遠い存在だ。ほとんどないといってもいい社会保障、コロナ禍でも明らかになった医療体制の脆弱さ、行政の隅々に蔓延《はびこ》る汚職、こうした状況はインドという国がほぼ無政府状態（アナーキー）なのではないかと思わせる。そして根強く残るカースト差別や経済格差の拡大によって、インド社会の残酷さは、少しも弱まる気配がない。しかし、そんな状況でも人々は強く生き、希望を失っていない。むしろ人々は自らがより良く生きる術《すべ》を身につけている。

仲間を作ること、横につながること、痛みや傷を実践的な社会変革のための行為へとつなげること、知恵と勇気を持つこと、助けを求めるが弱さにはひたらないこと、人を助けられる時には躊躇せず、でも傲慢にならないこと。こうしたことを残酷な超格差社会に生きる普通のインド人たちは教えてくれる。本書がインド社会の困難さだけでなく、彼らの強さを伝えるものとなれば嬉しい。

コロナ感染拡大がおさまらない中、インドにいつ行けるようになるのかまだ分からない。だが確実なのは、次に行った時、私は多くの悲惨な話を聞くということだ。そしてそれにもかかわらず、笑顔で前に進もうという人たちに私はまた驚かされるだろう。

東京大学の林香里先生と安富歩《あゆみ》先生は、典型的な研究書のスタイルではない本書を書く後押しをしてくださった。また本作りのプロとして、常に適切な軌道修正と温かい励ましで支えてくれた集英社新書編集部の野呂望子《のぞみ》さんなしにはこの本は形にならなかった。この場を借りて厚くお礼申し上げます。

最後に、私が執筆に集中できるよう家事の大半を引き受けてくれた夫に感謝したい。

二〇二一年一〇月

池亀　彩

図版作成／ＭＯＴＨＥＲ

池亀 彩（いけがめ あや）

京都大学大学院アジア・アフリカ地域研究研究科准教授。一九六九年東京都生まれ。早稲田大学理工学部建築学科、ベルギー・ルーヴェン・カトリック大学、京都大学大学院人間・環境学研究科、インド国立言語研究所などで学び、英国エディンバラ大学にて博士号（社会人類学）取得。英国でリサーチ・アソシエイトなどを経験した後、二〇一五年から東京大学東洋文化研究所准教授を経て、二〇二一年一〇月より現職。

インド残《ざん》酷《こく》物《もの》語《がたり》 世《せ》界《かい》一《いち》たくましい民《たみ》

集英社新書一〇九一B

二〇二一年一一月二二日 第一刷発行
二〇二四年 四 月 六 日 第五刷発行

著者……池亀《いけがめ》 彩《あや》
発行者……樋口尚也
発行所……株式会社集英社
東京都千代田区一ツ橋二-五-一〇 郵便番号一〇一-八〇五〇
電話 〇三-三二三〇-六三九一（編集部）
〇三-三二三〇-六〇八〇（読者係）
〇三-三二三〇-六三九三（販売部）書店専用

装幀……原 研哉
印刷所……TOPPAN株式会社
製本所……加藤製本株式会社

定価はカバーに表示してあります。

ISBN 978-4-08-721191-7 C0239
Printed in Japan

a pilot of wisdom